Interieur & Design

KÖNEMANN

© 2000 Könemann Verlagsgesellschaft mbH
Bonner Str. 126, D-50968 Köln

Originele titel: Decoración del hogar y meuble moderno
Redactie, tekst en layout: Arco Editorial, S.A., Barcelona, Spanje

Auteur:
Francisco Asensio Cerver

Samenstelling:
Paco Asensio

Ontwerp:
Mireia Casanovas Soley

Lay-out:
Ricardo Álvaraz, Jaume Martínez Coscojuela, Emma Termes Parera

Redactie:
Xavier Agramunt, Anna Tiessler

Fotografie:
© Carme Macià, © Wayne Chazan, © Eugeni Pons, © Pere Planells, © Lluis Sans, © Jordi
Sarrà, © David Cardelús, © Dennis Krukowski:
blz. 14 (rechts boven, kleine foto) Mark Zeff Consulting Group: Inc. N.Y. N.Y., U.S.A. blz. 20
Nancy Mannuncci Inc., A.S.I.D. N.Y. N.Y., U.S.A. blz. 21 (rechts boven) Jean P. Simmers Ltd.
Rye, N.Y. U.S.A. blz. 24 (links onder) Rolf P. Seckinger blz. 25 Luis Molina blz. 274 (links
boven) Brenda Speight Frederiksburg, Texas blz. 274 (links midden) Florence Perchuck,
C.K.D. N.Y. N.Y., U.S.A. blz. 274 (links onder) The Wetzel's Alexander Valey Vineyards,
Healsburg, California U.S.A. blz. 275 The Teddy Roosevelt House Sagamore Hill, Oyster
Bay N.Y., U.S.A. blz. 276 (links boven) Florence Perchuck, C.K D. N.Y. N.Y., U.S.A. blz. 357
(links boven) Philadelphia Entrance Hall blz. 358 (links boven) Iron Horse Vineyard
Sanoma County, California U.S.A. blz. 358 (links onder) Jeanne-Aelia-Desparment- Hart
N.Y. N.Y. 10019 blz. 417 Paul Silverman blz. 472 Yancy Hughes Alabama U.S.A. blz. 431
Healing Barsanti Inc. N.Y. N.Y. U.S.A. blz. 475 Mariette Himes Gomez Associates Inc. N.Y.
N.Y., U.S.A. blz. 487 Kuehner Family Pennsylvania, U.S.A. blz. 512 David Webster &
Associates N.Y. N.Y., U.S.A. blz. 616 Architect Jaime Aldama Guadalajara Jalisco México
blz. 618 John Rodgers Southampton, Long Island U.S.A. blz. 623 Robert DeCarlo N.Y.C.,
N.Y. U.S.A. blz. 624 Anthony childs, Inc. Washington, D.C. U.S.A. blz. 661 (links onder)
Robert L. Zion Landscape Design Monmouth County, N.J. U.S.A. blz. 690 (links onder)
Michael Formica Incorporated N.Y. N.Y., U.S.A. blz. 692 Halsted Wells & Associates N.Y.
N.Y., U.S.A. blz. 263 (rechts boven) Robert L. Zion Landscape Design Monmouth County,
N.J. U.S.A. blz. 693 (rechts onder) Burgess Lea Pennsylvania's Buck County U.S.A. blz. 694
(links boven) David Webster & Associates N.Y. N.Y., U.S.A. blz. 694 (links onder) David
Webster & Associates N.Y. N.Y., U.S.A. blz. 695 Michael Formica Incorporated N.Y. N.Y.,
U.S.A. blz. 734 (links onder) Birch Coffey Design Associates N.Y. N.Y., U.S.A. blz. 734 (links
onder) Virgian Witbeck N.Y. N.Y., U.S.A. blz. 775 Rolf P. Seckinger blz. 776 Mark Zef
Consulting Group Inc. N.Y. N.Y., U.S.A. blz 777 (rechts boven) Peter F. Carlson &
Associates L.L.C. Lyme, Connecticut blz. 778 (links onder) Peter F. Carlson & Associates
L.L.C. Lyme, Connecticut.

Wij willen graag op deze wijze fabrikanten en ontwerpers bedanken die in dit boek
worden genoemd. Dit boek is mede dankzij hen tot stand gekomen.

© 2000 voor de Nederlandstalige uitgave
Könemann Verlagsgesellschaft mbH
Productie en redactie Nederlandstalige uitgave: Studio Imago b.v., Amersfoort
Vertaling uit het Spaans: Juan Espinola (voor Studio Imago)
Productiecoördinatie: Ursula Schümer

Omslagontwerp: Mireia Casanovas Soley

Druk- en bindwerk: Poligrafiche Bolis S.p.A., Azzano S. Paolo
Printed in Italy

ISBN: 3-8290-3987-5
10 9 8 7 6 5 4 3 2 1

Inleiding

Onze woning is een intieme, persoonlijke ruimte. Vanwege ons levensritme kunnen we echter lang niet zoveel van ons huis genieten als we wellicht zouden willen. Toch wil iedereen dat zijn woning gezelligheid uitstraalt en comfort biedt, dat het een ruimte is waarmee men zich kan identificeren en waarin men zich volledig op zijn gemak kan voelen.

Het spreekt voor zich dat het meubilair dat we voor ons huis uitkiezen, praktisch moet zijn. De interessantste optie is een zeker evenwicht tussen functionaliteit en stijl. Er zijn verschillende decoratieve stijlen. Geen enkele stijl is beter dan de andere. Probeer niet geobsedeerd te raken door een bepaalde decoratieve lijn. Hoewel er sprake dient te zijn van enige samenhang in de decoratie van ons huis en we niet in al te duidelijke contrasten dienen te vervallen, is een zeker eclecticisme niet onaantrekkelijk. Het gebruik van meerdere materialen levert zeer goede resultaten: wie bijvoorbeeld een liefhebber van hout is, kan het combineren met staal. We hoeven niet noodzakelijkerwijs een voorkeur te hebben voor een puur rustieke stijl. Gezond verstand, individuele behoeften en persoonlijke smaak dienen het design van onze woning te bepalen. De mode mag nooit bepalend worden voor uw keuze.

Elke designer kiest voor eigen doelstellingen bij het ontwerpen van interieurs. De een benadrukt zijn smaak voor kleur, fantasie of creativiteit. Een ander vertoont een voorkeur voor vrolijke designs en creëert frisse, informele en optimistische ruimten. Een derde vakman is behoudender en geeft de voorkeur aan discrete, verfijnde en eenvoudige interieurs. Maar bij alle designers is er sprake van een constante zoektocht naar voorwerpen en ambiances die aan de kwaliteit van ons leven bijdragen.

Tegenwoordig streven niet alleen welgestelde mensen ernaar hun huis te decoreren. Met een beetje goede smaak en fantasie kunnen we allen prachtige ruimten ontwerpen. Bovendien bestaan er tegenwoordig zaken die designmeubelen aanbieden tegen redelijk betaalbare prijzen. Wie echter

over een groter budget beschikt, kan meubelen en voorwerpen
van de meest gerenommeerde ontwerpers aanschaffen en een
binnenhuisarchitect inhuren.
   Tot aan het begin van deze eeuw bestond het beroep van binnenhuisarchitect niet. Het waren onder andere de meubelverkopers
zelf of de stoffeerders die advies gaven op het gebied van decoratie. Pas ver in de 20^e eeuw is het beroep van binnenhuisarchitect
ontstaan. In de beginjaren werd het met de handel in antiek
geassocieerd. Het bestaan van een studie Binnenhuisarchitectuur
en, derhalve, de aanwezigheid van vakmensen die zich op dit
gebied laten gelden, bevestigen de belangstelling die dit onderwerp
tegenwoordig wekt.

   De inrichting van een ruimte omvat vele facetten. Ze betreft niet alleen de
meubelen. Ook kan er worden gespeeld met kleur, verlichting en de bekleding
van muren en vloeren. Bij het creëren van een bepaalde ambiance en het zoeken
naar de bijbehorende elementen, dienen we eveneens rekening te houden met
het budget, de beschikbare ruimte, de antiquiteit van het huis, het aantal
bewoners en de leeftijdscategorie waaronder laatstgenoemden vallen.
   Zonder twijfel zullen decoratieve details een woning de finishing touch geven.
Kunstwerken, zoals beeldhouwwerken en schilderijen; lampen en planten. De
indeling van elke kamer dient in elk geval op bedaarde, weloverwogen wijze te
geschieden. Indien noodzakelijk kan men een plattegrond op schaal
maken van de kamer en de elementen die erin te vinden zijn
en kan men deze net zolang combineren tot een meer
bevredigende indeling is gevonden. Het is moeilijk in onze
woning een zuivere tendens opnieuw te creëren. Middels
de combinatie van diverse stijlen kunnen we een even
harmonisch effect bereiken. In de jaren zeventig brak de High

Tech-stijl door waarin ruimte werd beschouwd als een functionele plek en een werkplek. In de binnen-huisarchitectuur maakte men gebruik van industriële materialen zoals glas, metaal, plastic en rubber. Het meest vernieuwende kenmerk van deze stijl was de recycling van voorwerpen uit de woonbranche. Het bleek geen vluchtige, kortstondige mode te zijn. Integendeel, het heeft de basis gelegd voor een actuelere stijl: de technologische stijl. Men kan stellen dat de technologische tendens een reactie is op de rustieke stijl. Evenals bij de High Tech-stijl beschouwde men de woning niet als een schuilplaats van comfort, maar als een ruimte vol verrassingen op basis van de combinatie van onbekende elementen.

Wie een ambiance zoekt zonder nutteloze voorwerpen, zonder decoratieve weelde, waarin het gevoel van ruimte boven alles prevaleert, zal waarschijnlijk voldoening vinden in de technolo-gische stijl. Daarin overheersen de zuivere lijnen en de eenvoud. De materialen die bij uitstek worden toegepast, zijn chroomstaal en zwart leer. Het zijn tijdloze meubelen die door hun gematigdheid niet snel vervelen. Wanden zijn geverfd in wit of in grijstinten, maar nooit in schreeuwende kleuren. Men streeft naar de integratie van wanden, vloeren en meubelen. Het is een stijl die bepaalde concessies toestaat maar wel een grote samenhang in de compositie vereist.

Anderen dromen daarentegen van een rustieke stijl voor hun woning. Zij zijn de liefhebbers van oude en antieke meubelen. Ze willen de woning veranderen in een ruimte waarin warmte en natuurlijke materialen, in het bijzonder hout, de boventoon voeren. Het voordeel van de rustieke stijl is dat hierin decoratieve accenten mogelijk zijn die het vertrek een modern, gezellig karakter geven. We kunnen een rustieke stijl creëren vol frisheid, creativiteit en moderniteit.

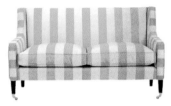

Zo pleegt men bijvoorbeeld in rustieke woningen de oude muurstenen zichtbaar te laten. Een buiten-gewoon vernieuwend effect is de andere wanden te betegelen of in blauwtinten te verven. Op deze wijze verkrijgen we een warme, moderne kamer. Functionaliteit en rustieke stijlen kunnen wel degelijk samengaan. Maar de rus-tieke stijl vereist echter wel meer decoratieve details dan de technologische, daar het karakter niet zo praktisch is. In de rustieke stijl kunnen lampen bijvoorbeeld, het avant-gardistische contrapunt vormen, of de kleur en de opdruk van wan-den, schilderijen, bloemen, bankstellen, gordijnen en andere textielvoorwerpen.

In de klassieke stijl die bij uitstek een stedelijk karakter heeft, worden unieke voorwerpen met avant-gardistische elementen gemengd. Het is een moderne, zeer verfijnde stijl, zonder buitenissigheden en verassingen. Hierbij gaat het erom een gezellige ambiance te creëren middels de niet altijd even eenvoudige samensmelting van de klassieke en de hedendaagse esthetiek. Het is altijd goed een zeker gevoel van ruimte te behouden. In de klassieke stijl zijn planten, schilderijen, beeldhouwwerken, met zorg uitgekozen decoratieve voorwerpen en weelderige opdrukken cruciaal, wil men de kamers verfijnen. Wie een liefhebber is van minimale schoonheid moet dit model niet volgen, omdat het lijnrecht tegenover het minimalisme staat. Om tot een bevredigende, klassieke stijl te komen, is een lang proces vereist. Het is namelijk niet zo eenvoudig om unieke,

antieke voorwerpen te vinden die perfect passen. Een algemeen be-vredigend effect is niet voldoende; in deze stijl dient alles tot in de kleinste details verzorgd te zijn. Evenals de High Tech is de stroming van het postmodernisme ontstaan in de architectuur. Het was een reactie

op de eenvoud van vormen die men in de High Tech aanprees. De postmoderne stijl heeft, op de drempel van het jaar 2000, nog veel in te brengen. Ze ontvlucht de eenvoud, de overdreven orde en het rationalisme. Het distantieert zich eveneens van de kleuren wit en zwart. Hier vindt men juist een uitbarsting van kleuren: groen, blauw, geel en rood laten zich zonder schroom combineren en creëren tot een avant-gardistische en vernieuwende ruimte. Het vereist geen buitensporig meubilair, maar wel grotere concessies aan vormen en details dan de technologische stijl. Het combineert de meest uiteenlopende stijlen, want met deze decoratieve lijn kan elk individu zijn idee van schoonheid en harmonie uiten. Er zijn geen regels: het gaat om een ongedwongen stijl zonder geforceerde stijfheid. Aangezien het een zeer gedurfde stijl is, loopt men wel het gevaar er sneller op uitgekeken te raken dan op een eenvoudige decoratie.

De rustieke, klassieke, technologische of postmoderne stijl bevredigt niet iedereen volledig. Uit elk van deze stijlen nemen zij ideeën om een eigen geheel te creëren dat aan hun meest concrete behoeften voldoet. Deze kritische geest is zeker positief te noemen. We moeten ons bewust zijn van de voordelen en de nadelen van elke stijl. Een zeker eclecticisme is mogelijk. De eclectische stijl wordt het meest toegepast door jongeren, die niet over een ruim budget plegen te beschikken. Het gaat er hierbij om een mooie ambiance te creëren op basis van verschillende functionele en informele meubelen. Zo kan men in een bepaald vertrek voor een zeer moderne stijl kiezen, doch er een hoekje inrichten met zeer goedkope, rustieke details.

Echter, zelfs als er een zekere stilistische vrijheid bestaat, dient men bij de decoratie toch bepaalde regels in acht te nemen. Al was het maar om deze te overtreden. Decoratie is namelijk in feite een levenstaak. En het meest interessante en vermakelijke is te zien hoe de inrichting zich met de jaren ontwikkelt.

Ontvangsthallen, gangen en doorlopen

Een huis met een aantrekkelijke vestibule zal ons bij binnenkomst direct verlei-
den. De ontvangsthal is de prelude van de woning, en als zodanig dienen we
voor een herkenbare stijl zorg te dragen. In de hal ontvangen we de visite maar
ook de meest ongelegen bezoekers, die zich slechts in deze ruimte zullen begeven.
Voor onze vrienden, kennissen en familieleden is het daarentegen een doorloopruimte. Maar al is het een doorgang, zelfs voor de huisbewoners is het zeer plezie-
rig een aangenaam gevoel te krijgen telkens als we onze woning binnentreden.

De grootte van de woning en van de ontvangsthal zullen bepalend zijn voor de
functionaliteit en de decoratie van de vestibule. Als de woning over weinig vierkante
meters beschikt, dient de vestibule een gevoel van ruimte over te brengen. We
dienen het derhalve niet te overladen met nutteloze voorwerpen. De ideale kleur
voor de muren is wit. Aan de muren kunnen beter niet te veel schilderijen hangen.
Bovendien, één uniek meubelstuk werkt effectiever dan vele decoratieve voorwerpen.

Maar als de woning werkelijk zo klein is dat we de vestibule moeten gebruiken
als bijkamer, dienen we de voorwerpen op een geordende wijze op te bergen als we
tenminste niet willen dat het in een berghok verandert. Daarvoor kunnen we een
kast plaatsen, over de gehele breedte van de wand, waarin we schoenen, koffers,
winterjassen of andere voorwerpen kunnen opbergen. In elk geval is het belangrijk
de ruimte in de ontvangsthal — indien noodzakelijk — zo discreet mogelijk te
gebruiken opdat de vestibule niet in een benauwende, barokke ruimte verandert.

Zelfs als we over een aanzienlijk ruime ontvangsthal beschikken, is een over-
vloed aan voorwerpen en meubelen nog niet aan te raden. De schoonheid zit in
de eenvoud, de ruimheid en de hoeveelheid licht. We mogen ons uiteraard wel
de luxe veroorloven de ontvangsthal te decoreren met enkele details die bezoeker
en eigenaar in verrukking zullen brengen. Door bijvoorbeeld een schrijftafel, een
bureaulamp en een stoel neer te zetten, kunnen we een esthetisch kantoor impro-
viseren. Ook enkele bloemdecoraties kunnen een goede bijdrage leveren.

De vloer van de ontvangsthal heeft het meestal zwaar te verduren. Als het regent komen we binnen met natte schoenen, en zitten de laarzen van de kinderen onder de modder. Het is dus belangrijk een vloer te kiezen die niet alleen decoratief maar ook sterk is. In elk geval moeten we niet te vergeten welke soort vloer we in de rest van de woning hebben gelegd, teneinde een contrast tussen stijlen te vermijden.

De gang is een van de andere doorloopruimten in een huis. We blijven er niet lang stilstaan, maar dat betekent niet dat we minder aandacht aan de inrichting zouden moeten schenken. Een mooi huis vraagt aandacht voor alle hoeken en gaten. Het is niet nodig een groot budget aan de gang te besteden wanneer onze financiële situatie dit niet toelaat; als de gang maar elegantie en licht uitstraalt. Er is namelijk niets deprimerender dan een naargeestige gang.

Een zeer moderne en fantasierijke optie is subtiele schilderingen op de muren aan te brengen. En dan gaat niet om grote landschapschilderingen, maar om kleine details.

Deze schilderingen zijn ook geschikt voor deuren, schoorstenen, meubelen of kamerschermen. Het is een originele manier om de gangmuren te bekleden. De meest gebruikte decoratievorm is het decoreren van muren met schilderijen. Ook met het ophangen van familiefoto's bereikt men zeer goede resultaten. Wat niet erg esthetisch overkomt is het lukraak ophangen van schilderijen zonder voldoende tussenruimte. Zoals altijd vormen eenvoud en een juiste verdeling de doorslaggevende factoren.

Indien we functionaliteit aan de gang willen toekennen, zijn er meerdere mogelijkheden. Men kan over de gehele breedte van de gang één grote kast neerzetten; men kan etagères in de hoeken plaatsen, of een vliering aanbrengen.

Maar het cruciale element in de gang is een adequate verlichting, zowel wanneer we voor een decoratieve stijl kiezen als voor een meer functionele stijl. Meestal valt er geen buitenlicht binnen, dus zullen we het moeten voorzien van kunstlicht. Een gang met fraaie schilderijen heeft geen uitstraling als deze onvoldoende is verlicht.

Nogmaals, lichtgekleurde muren zullen het licht beter verdelen. Halogeenlampen aan het plafond zijn ideaal, evenals designwandlampen. Als het met deze algemene verlichting niet mogelijk is de schilderijen of andere decoratievoorwerpen mooi uit te lichten kan men kiezen voor enkele spotlampen die de voorwerpen een eigen, persoonlijk karakter geven.

De eerste indruk

De belangrijke, eerste indruk van de hal
schept verwachtingen voor de rest van
het huis. De details zullen samen een
voorproefje vormen van het karakter van
de woning en als overgang dienen naar
meer persoonlijke, afgewerkte interieurs.

De ontvangsthal weerspiegelt
het karakter van de woning
wanneer men deze inricht met
details uit de stijlen die in de
verschillende binnenruimten
gebruikt zijn. (rechts)

Een aantal boeken en enkele
welgekozen details geven een
idee van het karakter van de
woning.

Originele en amusante opstelling
met gebruik van een theater- of
bioscoopstoel en een percussie-
instrument, in een en dezelfde
kleurencombinatie.
Entertainment als uitgangspunt
voor een decoratieve inrichting.

Klassiek meubilair in een interieur vol details. De decoratieve kracht van deze elementen verhult dat de ontvangsthal een doorloopruimte is. (links)

De decoratie van deze ontvangsthal beantwoordt aan de hedendaagse klassieke stijl. In de functionele spiegel kunnen we ons nog even bekijken voor we het huis verlaten en wordt de ruimte vergroot.

Eenvoudige lijnen in een klassieke ontvangsthal waarin slechts een tafel met stoel is neergezet en een wit meubelstuk met daarin wat Engels porseleinwerk als belangrijk detail.

Een trap in de ontvangsthal

In het kader van functionaliteit plaatst men in de architectuur van vele woningen de trap in de ontvangsthal. Hierdoor verandert deze onmiddellijk in een doorgang die naar de verschillende delen in het huis leidt. Het individuele karakter van elke afzonderlijke ruimte blijft behouden indien men de ontvangsthal en de trap tot één enkele doorgangsruimte omvormt tussen de verschillende kamers met hun eigen decoratieve stijlen.

De eenvoud gaat goed samen met de dynamiek van de geometrische kenmerken van deze vestibule in het *Lundstrome Home*, ontworpen door David Connor.

Ontvangsthal met zeer levendige, amusante details. De ingang van de woning bevindt zich tussen twee verdiepingen in en zorgt ervoor dat dit gedeelte de functie van ontvangsthal en gang vervult.

Eenvoudige afwerkingen in deze combinatie, uitgevoerd in de *Casa Amat* van Antoni de Moragues. Het monochromatische effect van het hout in combinatie met de crèmekleurige wand versterkt het idee van doorloop naar de meer persoonlijke ruimten. (rechts)

Klassieke ontvangsthal met trap in Engelse stijl. De ruimte is ontworpen als een doorloop die toegang geeft tot vier gedeelten van het huis. Deze kamers staan voldoende los van elkaar en hoeven derhalve niet onderling verbonden te worden. De slaapkamers en de badkamer bevinden zich bij dit soort indelingen normaliter op de bovenetage. Het meest intieme gedeelte van de woning is zo perfect afgesloten van de rest. (links)

Achter de voordeur vormt de trap een opening die direct in het interieur van deze entree wordt opgenomen. De trapleuning in romantische stijl, bewaart haar originaliteit doordat de klassieke leuning is vervangen door een eenvoudig touwwerk. (onder)

Absolute eenvoud kenmerkt deze ontvangsthal waarin een hernieuwde, rustieke stijl is gecreëerd.

Terloopse eenvoud

Sober, uitgebalanceerd en strikt functioneel: om een ontvangsthal te decoreren is
een eenvoudig bijzetmeubel of een fauteuil
en een spiegel vaak voldoende.

Structuur uitgevoerd in hout en glas,
met eenvoudige, rechte vormen. Deze
combinatie is afgestemd op het
schilderij dat de centrale plaats in de
ruimte inneemt.

Absolute eenvoud van lijnen in een
combinatie van legplank en spiegel.
De welving van het rek creëert een
uitnodigend gevoel.

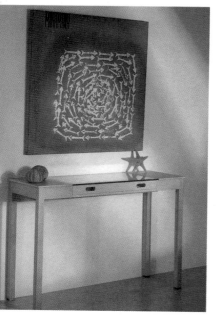

De firma Garden tekent voor *Colzani*, een design dat is vervaardigd van massief kersenhout. Door de combinatie van tuinelementen en droogbloemen wordt de suggestie van een ambiance-verandering bij het binnentreden of verlaten van het huis gewekt. (links)

Dit ensemble heeft een klassieke structuur en de architectuur van een rustieke plattelandswoning. Daardoor krijgt de grote ruimte die als eenvoudige doorloop dient een stoere, luxe sfeer.

Een simpele legplank creëert de structuur voor dit ensemble waarin eenvoudige vormen combineren met details in het design, zoals de drie laden die onder het middenblad hangen.

Ensemble van Porada waarin het gewelfde design van de haltafel opvalt. De enige rechte lijn van dit element is het verbindingspunt met de muur waartegen het is geplaatst, waarbij de vlakke lijnelementen in contrast staan met de boogvorm. (links)

Grote entree

Het idee van een ontvangsthal als functioneel en onmisbaar element in de woning is door de jaren heen veranderd. In vroegere tijden werd de hal beschouwd als een functionele kamer met een uitgesproken esthetische functie.
Tegenwoordig is het aantal vierkante meters van deze ruimte aanzienlijk afgenomen in de moderne woning.

Dankzij de grote afmetingen van deze entree is het mogelijk meubelen volledig weg te laten. In een grote ontvangsthal geldt de ruimte zelf als decoratief hulpmiddel, zonder de noodzakelijke aanwezigheid van meubilair.

Het vloerkleed is een element dat een ruimte kleiner laat lijken. Dit concept is geschikt voor ontvangsthallen van grote afmetingen, die kleiner moeten ogen.

In de klassieke structuur van deze ontvangsthal is een 'levensechte' schildering opgenomen. (rechts)

In de structuur van deze
ontvangsthal in rustieke stijl
staat een reeks bogen
centraal die het geheel een
stevige uitstraling geeft.

De kleur wit als absoluut
belangrijkste element in een
verbazingwekkende ruimte.
De originele plaatsing van een
metalen hek en de afscheiding
van de kamer middels een
gordijn maken deze combinatie
tot een interessant ontwerp.

Deze inrichting in
Engelse stijl is van
Laura Ashley. Het
warme hout, de
lichte tinten en de
decoratieve details in
alle hoeken
veranderen deze
ontvangsthal in
een ruimte met
een eigen
persoonlijkheid.
(rechts)

Moderne architectuur

Ontvangsthallen die toegang geven tot modern ingerichte kamers met strakke, constante lijnen, worden
ingedeeld volgens de concepten van ruimtelijke eenvoud. De grote ruimten met een minimum aan elementen zorgen ervoor dat de architectuur zelf de centrale plaats in
deze ruimten inneemt.

De huidige indeling van veel
woningen waarin de ruimte
schaars is, zorgt ervoor dat er
efficiënte oplossingen moeten worden
gevonden, zoals hier een voorbeeld
van de firma Calligaris.

Detail van
Babà. Het
hybridische
karakter van
het bankje-
halmeubel dat
herkenbaar is
voor het merk
Galligaris.

Licht is eveneens een
kenmerk van deze
ruimten. In deze ont-
vangsthal wordt door de
intensiteit van het licht,
gespeeld met de silhou-
etten van de schaarse,
decoratieve elementen.
Het geeft de ruimte een
fragiel, etherisch
karakter. (rechts)

De ontvangsthal
van Insigna House
wekt door de
totale eenvoud de
indruk van een
onbelemmerde
doorgang naar
binnen.

Detail van de ont-
vangsthal van Insigna
House. De halfronde
vorm, die een zijruimte
afsluit, zorgt voor een
optische scheiding van
het geheel tussen de
ontvangsthal en de
gang.

De moderne inrichting
van deze ontvangsthal
van de *Casa Bergadà*
vormt een contrast met
de klassieke structuur
van het plafondgewelf.
(rechts)

Halmeubelen

Het halmeubel vormt een element waarin esthetiek en functionaliteit moeilijk te combineren zijn. Door er geen meubilair omheen te zetten, neemt het een centrale plaats in de ontvangsthal in en bepaalt het soms samen met een spiegel, het karakter van de ruimte.
Een van de meest toegepaste decoratieve opties is de voorwerpen en details zodanig te plaatsen dat er een scala van nuances ontstaat en het karakter van de woning tot uiting komt.

Model Punxi van Porada. Dankzij de structurele eenvoud zijn andere decoratieve voorwerpen mogelijk zonder dat daarmee de ruimte te vol wordt. De glazen, halve cirkel op een gestileerd voetstuk van massief kersenhout combineert elegantie en eenvoud. (rechts)

Middentafel van Hugonet in wit vernis met een bovenblad van geperforeerd hout.

Klassiek element uitgevoerd in donker notenhout. Deze meubelstijl heeft zich door de jaren heen verder ontwikkeld en daarbij gedeeltelijk aan decoratief karakter en stijldetails ingeboet, maar aan totale functionaliteit gewonnen.

Porada tekent voor deze meubelset voor een ontvangsthal, bestaande uit een ladenkast op wieltjes en een zuil met meerdere legplanken en een spiegel. De functionaliteit van dit element en de eenvoudige, doch verzorgde uitvoering maken het tot een perfecte keus voor ontvangsthallen met geringe afmetingen.

Romantische ontvangsthal uitgevoerd in wit, door Laura Ashley. Stijldetails zoals de kleurcombinatie van de handvatten en het bovenblad creëren een bijzondere sfeer rondom dit element.

Klassiek halmeubel met rechte en eenvoudige lijnen. Dit element heeft de structuur van het traditionele muurtafeltje, dat reeds bij antieke meubelen werd toegepast.

Originele ontvangsthallen

Wanneer de persoonlijke sfeer van een woning gekenmerkt wordt door originaliteit en inventiviteit, krijgen de ontvangsthallen eveneens een bijzonder – direct zichtbaar – karakter.

Cuccagna is een componentensysteem van zuilen van de firma Porada dat opvalt vanwege de veelzijdigheid en de vormgeving.met een duidelijk moderne structuur en een combinatie van zand- en houttinten past het resultaat bij interieurs in alle soorten en stijlen.

De aanwezigheid van een gootsteen vol planten creëert een bijzonder exotische sfeer.

Nuttig en grappig voorwerp waarin de traditionele melkkan-vorm wordt gecombineerd met een reeks levendige kleuren. Door de originaliteit van dit element *Milk*, van de firma Graepel, is het geschikt om als een leuk detail te worden gebruikt in elke hoek van de ontvangsthal van de woning. (links)

De ontvangsthal van het *Bonatti House* is ingericht met open en gesloten vlakken, die ontstaan door een speciale indeling van muren en tussenschotten, waarbij vanuit de ontvangsthal zelf, een deel van de eetkamer te zien is. (links)

Detail van het *Bonatti House* waarin de originele decoratie van deuren en wanden te zien is. De pijlen hebben een dubbele functie: aanduiding en decoratie.

Interessant ontwerp van Porada met daarin twee meubelstukken die onderling te combineren zijn. Een bankje en een tafeltje smelten qua vorm samen en creëren zo een originele opstelling. (onder)

Wandelementen

Om een kleine ontvangsthal toch ruim te laten lijken, zijn er wandelementen in verschillende stijlen ontworpen.
Ingedeelde spiegels, legplanken en kleine buffetten geven de ontvangsthal een eigen uitstraling, zonder dat grote meubelstukken daarvoor noodzakelijk zijn.

Xavier Pujol tekent voor deze combinatie in eenvoudige vormen. De zuivere vormgeving van het geheel creëert een contrasterende werking tussen de horizontale legplank en de verticale lamp.

Wandspiegel met richel in het midden, van de firma Porada. Het paneel en de legplank zijn vervaardigd van kersenhout.

Wandlampen of schilderijen laten zich uitstekend combineren met het meubilair in de ontvangsthal en geven de ruimte – door hun accenten – een eigen sfeer. (rechts)

Een grote,
ronde spiegel
hangt centraal
in de
ontvangsthal
en geeft zicht
op een gang.
Smalle ruimten
zijn ideaal voor
spiegels, daar
ze het licht
weerkaatsen en
een optisch
gevoel van
ruimte geven.

Miró is een
wandspiegel van
de firma Porada,
die bedoeld is als
een wandpaneel
om het interieur
van het huis zelf
te weerspiegelen.

Een combinatie
van passende
componenten voor
ontvangsthallen
van de firma Xa-
vier Pujol. De ele-
menten worden
aangepast aan het
beschikbare muur-
vlak en creëren zo
een veelzijdig
geheel.

Huiskamers

De huiskamer is een ruimte om te ontspannen. Daar komt het gehele gezin bijeen en wordt de visite ontvangen. Tevens moet de kamer geschikt zijn voor diverse bezigheden. Daarom is het raadzaam dat het meubilair past bij een weloverwogen, functionele indeling. In de huiskamer wordt gelezen, gepraat, naar muziek geluisterd, televisie gekeken of uitgerust. Het is dus ook een vertrek waarin spullen worden bewaard en vertoond.

We moeten bij de inrichting dus rekening houden met comfortabele stoelen en met opbergmeubelen waarin allerlei voorwerpen kunnen worden bewaard. Ook de verlichting is belangrijk. De leeshoek vereist de meeste zorg bij de keuze van de juiste lamp. De sfeerlampen dienen van geringe lichtsterkte te zijn, mits we deze combineren met gerichte spotlampen die de verschillende bezigheden mogelijk maken.

Al beschikken we over een tamelijk ruime woonkamer, het is niet raadzaam deze met teveel meubelen te vullen. Elegantie zit in eenvoud. Een ruime, open kamer ontstaat door het afgepast plaatsen van meubilair. Vervang meubelen die weinig gebruikt worden door nieuwe, functionele, efficiënte meubelen. Als de zitkamer klein is, is het raadzaam geen grote banken te plaatsen. Men moet proberen een zo leeg mogelijke ruimte te creëren. Het loont om lichte, verplaatsbare meubelen aan te schaffen en eenpersoonsfauteuils, die gemakkelijk te verplaatsen zijn.

Een interessante mogelijkheid vormen componentenmeubelen. Deze componenten hebben vaste, strakke vormen, waarin de rechte lijn overheerst. Het voordeel is dat ze, in ruimtelijke zin, flexibel zijn en dat het mogelijk is ze in een later stadium uit te breiden, als de wens daarvoor bestaat. Ze bestaan uit legplanken, laden en vitrines. Daardoor kan men er boeken, decoratievoorwerpen of de meest gevarieerde prullen in opbergen. Ook bieden ze plaats aan beeld- en geluidsapparatuur.

Jaren geleden ging het gehele gezin om de open haard zitten. Tegenwoordig vormt de televisie het element van samenkomst. Maar de open haard is in

sommige zitkamers gelukkig nog aanwezig en geeft deze een sfeer van gezelligheid. Als we niet het voorrecht hebben in de woning van een open haard te kunnen genieten, en we toch die sfeer willen creëren, kunnen we kiezen voor gaskachels die haardvuren en houtskoolvuren imiteren. Ze verbruiken meer dan de traditionele kachels, maar we genieten dan wel van een ogenschijnlijk echt vuur én we hoeven geen roosters schoon te maken.

Een ander in het oog springend decoratief detail van de zitkamer vormen kunstwerken. We houden er allen van schilderijen op te hangen in de woonkamer, want het is dé plek om ervan te genieten. Toch moeten we steeds weer bedenken welk esthetisch effect we ermee willen creëren. Het gaat er niet om schilderijen lukraak te exposeren. We dienen ze op ooghoogte op te hangen, apart of gegroepeerd, naargelang het schilderij. In enkele gevallen kan het raadzaam zijn spotlampen te installeren die de schilderijen kunnen uitlichten en een speciaal effect geven.

Bijzettafels zijn onmisbare meubelen in elke zitkamer. Dankzij de verscheidenheid in vorm en grootte kunnen ze zich op uitstekende wijze aan de ruimte aanpassen. Zo kunnen we ze tegenover het bankstel plaatsen, als hulpmiddel bij onze bezigheden, of aan beide zijden van het bankstel, normaliter als steun voor de lampen. Het is belangrijk niet alleen voor design te kiezen, maar ook voor kwaliteit. Men kan kiezen uit een keur aan materialen: smeedijzer, roestvrij staal, hout, glas, marmer en stijlen: Oosters, Arabisch, klassiek, verfijnd.

Het andere essentiële meubelstuk in de zitkamer is het bankstel. En ook de fauteuil. Ze staan model voor rust en sociaal gebeuren, want onze gasten nemen erin plaats. De bankstellen die het meest praktisch zijn, kunnen gemakkelijk verplaatst worden, hebben rechte lijnen, diepe zittingen en hoge rugleuningen. Comfort staat boven alles, maar ook de duurzaamheid van de stoffering is belangrijk. Effen of lichtgekleurde bekleding is in de mode. Bankstellen met bedrukte bekleding worden echter minder vuil.

De decoratie van de zitkamer wordt tevens bepaald door factoren als het huishouden of de leeftijd van de huisbewoners.

Heldere ruimten

Tot enkele decennia geleden verdeelde men de zitkamer in kleine, onafhankelijke gedeelten, die elk een eigen, specifieke functie hadden. Nu geeft men er de voorkeur aan een eenheid van de ruimte te maken en daarbinnen te streven naar multifunctionaliteit.

Een combinatie van kleuren kan een heldere sfeer in kamers scheppen. Een explosie van tinten als wit, fuchsia, lila of mosgroen vormt het decor voor deze kamer waarin een groot bankstel met ronde vormen de boventoon voert. *Casa Rosenthal* van Frank Fitzgibbons. (rechts)

Op de belangrijkste verdieping van het huis, het straatniveau, is een grote zitkamer aangelegd met een bankstel dat tegen de muur is geplaatst en onopvallend in het geheel wordt opgenomen. In de eenvoudige eetruimte, naast de keuken, zijn kleurcontrasten gecreëerd. *Residencia O* van Lida.

De architect Peter Romaniuk heeft in het *Casa Floral* in Londen een unieke, zeer grote zitkamer ontworpen, zonder tussenschotten en scheidingswanden; een kamer die op een vliering lijkt.

Meubilair in eenvoudige, lichte vormgeving voor een zitkamer die wordt gekenmerkt door de transparante architectuur van Wellington Quigley.

De lichtroze tint van het huis, ontworpen door Bosco Gutiérrez die traditionele, inheemse decoratievormen van weleer gebruikt, heeft als basis gediend voor de omlijsting van een grote ruimte waarin de bankstellen in een gesloten U-vorm zijn opgesteld. Zo kan een grote ruimte optisch worden begrensd. (onder)

Algemeen aanzicht van een zitkamer. Een grote moduul scheidt de keuken af en heeft als ruimtelijk referentiepunt gediend voor de overige decoratie. *Price O'Reilly House*, werk van Engelee/Moore in Sydney, Australië. (rechts)

In het *Bielicky*-huis van Wolfgang Döring is de functie hersteld van de grote ramen met panelen. Hier omsluiten ze een kamer waarin bankstellen die recht tegenover elkaar zijn geplaatst integreren met grote doorlooruimten.

Vaak is het mogelijk een heldere ruimte in verschillende multi-functionele gedeelten op te splitsen. Op de bovenverdieping van dit huis is een klein gedeelte vrijgemaakt als bijkamer, met een designstoel. *Psyche House* van René van Zuuk in Nederland.

Op een parketverhoging creëren twee bankstellen in L-vorm een gezellige sfeer, met een opzichtig rood vloerkleed en een glazen tafel als blikvangers. De zitkamer wordt afgesloten door structuurelementen, zoals de zuilen. *Check House* in Singapore, werk van Teck Kiam Tan.

Een bankstel tegen de muur omsluit een gedeelte waarin een salontafel en een katoenen tapijt de belangrijkste plaats innemen. De tweezitsbank is van gecapitonneerde alcantara en is bekleed met sycomorehout. De zitkussens zijn zeer resistent. Het is een model van Roche & Bobois.

Gezelligheid

De opstelling van de zitstoelen bepaalt waar in de zitkamer men bijeenkomt voor een goed gesprek. De meest frequente opstellingen zijn de L- en U-indeling, of de parallelindeling. Bij een bankstel is de meest natuurlijke opstelling nog steeds een indeling waarin de fauteuils los van elkaar en tegenover het bankstel staan. De parallelindeling, waarbij twee bankstellen tegenover elkaar staan, wordt gewoonlijk toegepast wanneer ze een centrale ruimte innemen, ver verwijderd van de muur. In elk van deze gevallen neemt het aantal zitstoelen toe met het aantal moduulontwerpen en de extra informelere zitstoelen zoals poefen.

Bankstellen die lineair zijn opgesteld, creëren heldere, grote ruimten. *Oberon* bankstel, design van Lievore & Co, met een houten frame met polyurethaanlaag en een beschermende stofbekleding. Kussens met afneembare hoes, de rug- en armleuningen zijn van *air-fibra*.

Een zithoek met een moduulbankstel biedt vele mogelijkheden. Deze veelzijdige modellen
vormen hoekcomposities
waardoor de ruimte optimaal
benut kan worden. Het bankstel
op de foto is van het model
Oceano van Swan en bestaat uit
20 verschillende, naast elkaar
geplaatste elementen op een
houten frame. Van alle elementen
kan de hoes verwijderd worden
en tevens heeft elk onderdeel een
handig metalen hulpstuk voor
beter comfort.

Twee bankstellen in L-vorm
bieden de mogelijkheid
optimaal gebruik te maken
van de ruimte in de hoeken
door er een rond salontafeltje
en een rechthoekig salon-
tafeltje neer te zetten die het
geheel afmaken. *Seat & Relax*
van Mobil Girgi is een nieuw
model moduulbankstel in
alcantara of leer.

Een klassieke opstelling bestaande uit een driezitsbank en een fauteuil van hout met een vormvaste polyurethaanschuimlaag. Model van Moroso, volledig afneembare hoezen, met ganzenveervulling.

Met een compositie in U-vorm gebruikt u de ruimte in een grote woonkamer optimaal door een comfortabele, praktische rechthoekige tafel te plaatsen. *Lisbona* bankstel van Mobil Girgi in leer of alcantara met notenhout of kersenhout.

In een zithoek kunnen twee fauteuils prima een bankstel vervangen. Leunstoelen van *B&B* Italia. rechts

Een katoenen vloerkleed is het decoratieve element dat de eenvoudig gevormde driezitsbanken scheidt. Design van Adriano Piazzessi.

Naast een aluminium rek is een moduul bankstel in een gebogen L-vorm opge-steld. Het bankstel springt in het oog door de omvang en de vorm met kromme lijnen. Model *Bench System* van Piero Lissoni voor Living Divano.

In een hoek opgestelde bankstellen met bijzettafeltjes van beukenhout.

Kamerscheidingswanden

Elementen die de sferen in de zitkamers scheiden zijn
essentieel voor de ruimtelijke dynamiek en eenheid
van de zitkamer. Er zijn drie soorten scheidingswanden: permanente wanden, architectonisch of niet
(zuilen of muurtjes); tijdelijke, mobiele wanden zoals
kamerschermen, en wanden die door een daarvoor
geselecteerd meubelstuk worden gevormd.

Twee antieke stoelen
begrenzen de zithoek
en scheiden deze van de
rest van de woonkamer.

Een metselmuur
begrenst de eethoek
en scheidt deze van
de rest van de kamer.

Een trap en een glazen
stellingkast vormen, middels
een bankstel in moderne
lijnen, een rustruimte die
onafhankelijk is van de rest
van de bibliotheek.

Een groot, wit scherm
scheidt de twee grote
fauteuils van de rest van
het huis. Een houten
ladder vormt eveneens
een begrenzing. (links)

Een deel van het huis
loopt schuin af. Om
het ruimtelijke effect
te vergroten,
is een grote zithoek
ingericht.

Een houten balk aan de muur
is de blikvanger in deze
woonkamer met gemetselde
zitbanken.

Een muurtje fungeert als
scheidingswand om verschillende
delen van de woonkamer te scheiden.

Kamerscherm met krom-
me lijnen, als afscheiding
voor kamerdelen.

Hout in de woonkamer

Hout is in bijna alle woonka-
mers als overheersend element te vinden: de rode
draad die de kamer tot een
geheel maakt. Hout dat op
verschillende manieren is be-
werkt, verschijnt steeds opnieuw in het stedelijke,
eclectische interieur. Vooral
meubilair van kersen- en
grenenhout of exotische
houtsoorten als nyatoh en
bubinga.

Bankstel met houten rugleuning
en aluminium poten. Model *Jules
et Jim* ontworpen door Enrico
Franzolini voor Moroso.

Componentenboekenkast
met aluminiumapplicaties
en doorzichtig glaswerk.
Design van Interi. (links)

Tafel van kersenhout,
ontworpen als cd-opbergkast.
De ladenrails zijn telescopisch,
verborgen en sluiten automa-
tisch. Verkrijgbaar in drie
verschillende tinten.
Modelo Peso, design van
L. Alba & J.M. Casaponsa,
geproduceerd door
Estudi Metro.

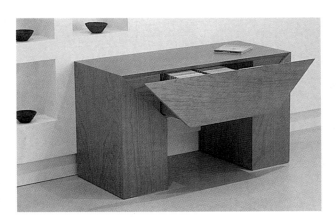

Fauteuil met gewelfde,
beukenhouten armleuningen.
Het tafeltje heeft een
notenhouten afwerking.
Geproduceerd door Interi.

Componentenboekenkast
met planken, uitgevoerd in
natuurhout. Design van Bessana.

De parketvloer, de profielen
van de salontafel en het
frame van de fauteuils
tonen de grote rol van hout
in het moderne interieur.
Fauteuils ontworpen
door Stua. (rechts)

Klein opbergmeubel in kersenhout
met aluminium poten. Geproduceerd
door Cassina. (links)

Florence is een ensemble van fauteuil
met voetenbankje, met een houten
frame met polyurethaanlaag en een
beschermende stofbekleding. Design
van Lievore & Co. (onder)

Ontwerp *Bib Hop* met donker, kersenhouten fineer en massief beuken verbindingsstukken. Uitgerust met rechte legplanken, ook aan de zijkanten. Design van Roche & Bobois.

Ontwerp *Dama* met een compositie van houten onderdelen en metalen handvaten. De deuren zijn van matglas. Geproduceerd door Galli

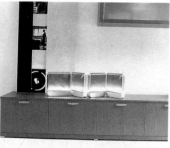

Tafelvoetstukken in een minimalistisch, grappig design die in hoogte verstelbaar zijn en via de metalen afwerking gekoppeld worden aan verschillende soorten tafelbladen. De tafels zijn zowel voor huishoudelijke als openbare doeleinden bruikbaar.

Veelzijdige tweezitsbanken

Het tweezitsbankstel is een meubel-stuk dat voldoende mogelijkheden biedt om zich aan elke ruimte aan te passen. De standaardafmetingen variëren van 165 cm tot 175 cm lengte.

In de huidige trend, sinds de jaren '60, kiest men voor brede armleu-ningen met een zachte vulling en textiel dat tegen vuil en vlekken bestand is.

Ruime tweezitsbank met kussens in afneembare hoes en klassieke houten poten. *Bristol* design van J. Casadesús voor Cycsa. (rechts)

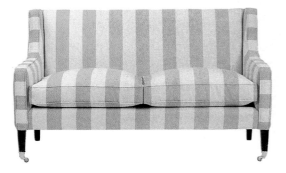

Bankstel voorzien van wieltjes voor een makkelijke verplaatsing. De bekleding bestaat uit een stof met witte en gele strepen. Model *Santiago* van Kilo Americano.

Tweezitsbank in klassieke stijl met gedraaide houten poten. Model *Salamanca* van Kilo Americano.

Tweezitsbank met stoffering in twee tinten: grijs en mosgroen. Uitgerust met gesatineerde aluminium poten. Design van Hugo Ruiter voor Leolux.

Frog is een tweezitsbank ontworpen voor Leolux door Piero Lissoni. Het frame bestaat uit een touwwerk van katoen of doorzichtig pvc en heeft een buisconstructie in epoxymetaal.

Tweezitsbank met effectieve kleurcontrasten in zwart en grijs. Design *Zilia* van A. Hieronimus voor Leolux. (onder)

Colibri is een aerodynamische tweezitsbank met een zeer praktisch, verankerd tafeltje. Design van Jan Armgardt.

Geometrische en kromme
lijnen voor een avant-
gardistische, crèmekleurige
tweezitsbank.

Collectie *Balestra* van Living
Divani. Creatie van Piero
Lissoni met een ergonomisch
verantwoorde hoofdsteun.

Model *Asanti* van
Sancal, in hout met
versterkte basis
en zachte zitvulling.

De collectie *Denver* van
Cycsa heeft een houten
frameconstructie met
zittingen op een stalen
veerophanging.

Opblaasbare
plastic tweezits-
bank van Ikea.

Tweezitsbank met ruime armleuningen en
zijstuk. Design van Piero Lissoni voor Living
Divani.

Bankstel met losse kussens met
veervulling, die als rugsteun
dienen. Beukenhouten poten en
wasbare hoezen. Het is een design
van Erika Pekkari voor Ikea.

Comfortabel
en duurzaam

Bankstellen dienen stevig en diep te zijn en dicht opeenvolgende bevestigingspunten te hebben om de duurzaamheid te kunnen garanderen. Serie *Hello* voor Comfort, met verstelbare lamp en houten zijsteunen die functioneren als bijzettafeltje. (rechts)

Het spreekt voor zich dat het meest opmerkelijke aan een bankstel de vorm en de stoffering is. Bij de aanschaf is het echter noodzakelijk de kwaliteit van de constructie, het onderstel, de verschillende soorten vulling en de stoffeertechniek te toetsen.

Lucerna is een design van Emaf Progetti voor Zanotta met sterke aluminium poten en verstevigde rugleuningen en zittingen.

Paresse bankstel, creatie van H. Hopfer, uitgevoerd met Engelse naad en massief beuken frame, dat met pennen en spongaten is gemonteerd. Van Roche & Bobois.

Zeer sterk bankstel uitgevoerd in Emotion-leer, zadelplooinaad met draad in bijpassende kleur en stalen veerophanging. Model *Farniente* van Roche & Bobois.

Simple is een module van Poroso vervaardigd in hout met vormvaste polyurethaan-schuimlaag. De kussens zijn van ganzenveren.

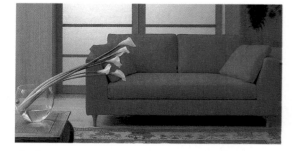

Kleine rollen en ruime sierkussens zorgen voor extra ontspanning. Dit model heeft zitkussens met tridensity-schuimvulling en een beuken frame. Model *Propieté Privée* van Roche & Bobois.

Novecento lijn, design van Antonio Citterio, in een frame met vormvaste polyurethaan-schuimlaag. Geproduceerd door Moroso.

Waiting is een design van Rodolfo Dordoni voor Moroso, in staal met vormvaste polyurethaanschuimlaag. De aluminium poten zijn in hoogte verstelbaar.

Bankstel met
verstevigde
aluminium onder-
plaat, waardoor het
bijzonder duurzaam
en stevig is. *Zurigo*
design van Alfredo
Häberlo en
Christophe Mar-
chand voor Zanotta.

Programma *Lineal*
van Ximo Roca
voor Bonestil, in
hout en textiel-
rooster met
versterkte
zijkanten. De
stoffering is
vlekbestendig.

Comfortabel en duurzaam   77

Familie van het bankstel

De fauteuil is de natuurlijke aanvulling op het bankstel. Het is een meubelstuk dat aan variëteit in vorm heeft gewonnen. Wie het juiste model weet te kiezen, geeft blijk van kennis en smaak. In de huidige trend laten de kleine fauteuils en zelfs de "art deco" van de jaren twintig en dertig zich steeds meer gelden.

Moove fauteuil in leer met gesoldeerde stalen buispoten en bijpassend, handig voetenbankje. Design van Pascal Mourgue van Cassina.

Een andere versie van de *Moove* heeft een chaise longue-uiterlijk, met rode stoffering en afneembare hoes.

Fauteuil in een fijn, rank profiel, vervaardigd van beukenhout. Design van Giacomo Passal voor Andreu World. (rechts)

Stoel *La Diva* met hoge, voorgevormde rugleuning en slechts een armsteun. Design van Jaime Bouzaglo voor Andreu World.

Collectie *New York* met jaren vijftig
lijn. Gefabriceerd in een houten
frame. De zitting en de rugleuning
zijn van polyurethaanschuim met een
laag van polyestervezel. Het is een
design van Cycsa.

Fauteuil met ergonomische lijnen en afneembare hoes.
Vernikkelde poten met buitenkant van kersenhout, wengé of
doorzichtig plastic. Model *Malaparte* van B&B Italia.

Kleine fauteuil met katoenen hoes, uitgevoerd met wieltjes. Model *Do, Re, Mi*, ontworpen door Rodolfo Dordoni voor Moroso. (links)

Een traditionele *Chesterfield* fauteuil, met moderne stoffering en lichtgekleurd hout. Van Cycsa. (boven)

Cambridge fauteuil van massief beukenhout met hardboard frame en polyester schuimlaag. Beukenhouten poten met vernislaag, en afneembare bekleding. Model van Habitat. (boven)

Florence is een romantisch, nostalgisch model fauteuil, met aluminium poten en een handige, ingebouwde voetensteun. Model van B&B Italia.

Serie *Cannes*, met houten frame en zittingen op stalen veerophanging. Beukenhouten poten met vernislaag in een zachte notenkleur. Geproduceerd door Cycsa.

Ateneu fauteuil, design van Massana-Tremoleda voor Perobell,
in hout met polyurethaan- en dacronlaag.

Mantis fauteuil van Interi
met houten frame.

Badajoz fauteuil met geruite
vichy-stoffering en gedraaide
poten. Design van Kilo
Americano.

De salontafel

Het is het ideale meubel voor de plek waar men bijeenkomt. Het is het middelpunt waaromheen de zitplaatsen worden ingedeeld. Tegenwoordig is het een van de favoriete voorwerpen van designers en er bestaan originele en ingenieuze ontwerpen met laden, elementen en opklapbare bladen.

Tafel met afgeschuinde glasplaat van Chueca.

Deze salontafel richt de woonkamer in volgens een contrast in kleur.

Vierkante tafel in massief
kersenhout met blad van matglas.
Model Merlino, design van
T. Colzani. Van Porada. (boven)

Tafel in massief kersenhout
met doorzichtige glasplaat
ingebed in het houten frame.
Van Porada.

In kamers met grote bankstellen is het raadzaam rechthoekige tafels te plaatsen die het bankstel deels over de lengte bestrijken. Tafel van hout en doorzichtig glas. (rechts)

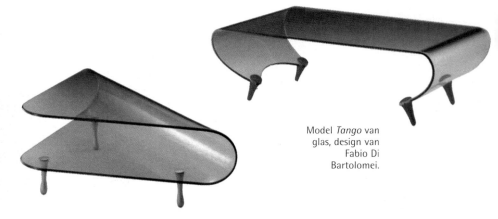

Model *Tango* van glas, design van Fabio Di Bartolomei.

De huidige salontafels hebben de traditionele vormen van de jaren '70. Model *Albatros*, design van Roberto Semprini voor Fiam Italia.

Kleine, glazen tafel uit één stuk vervaardigd, zonder hoeken of scherpe kanten. Het is uitgevoerd met een uitschuifbare opbergplaat. Design van Angelo Cortesi voor Fiam Italia. (onder)

De lichtge-
kleurde, Noord-
Europese hout-
soorten worden
in salontafels
verwerkt
gecombineerd
met tafelbladen
van doorzichtig
glas. Model
Metropolis
van Interi.
(rechts)

Salontafel met metalen poten
en glazen blad. Een klassieker
van Alvar Aalto. (onder)

Vierkante, houten salontafel met
metalen klinknagels, jaren '30-stijl.
Van Roche & Bobois. (boven)

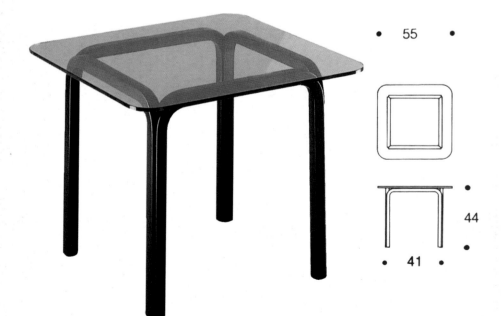

• 55 •

44

• 41 •

Salontafel met afgeschuinde kanten en versterkte binnenkant. Gefabriceerd van beukenhout. Design van Habitat.

Lage tafel met wieltjes en anigré meubelplaat geverfd in mahonie, met vernislaag. De wieltjes zijn van staal en rubber. Het is het model *Scuadra* van Habitat. (rechts)

Tafel met zwarte vernislaag in een Japanse stijl. Design van Habitat. (onder)

Originele, houten salontafel.
Design Raiz Cuadrada van Interi.

Banken met drie of meer zitplaatsen

Twee tegenover elkaar geplaatste bankstellen en een salontafel vormen een opstelling waar men urenlang kan praten.

In heldere, open ruimten kunnen met bankstellen verschillende zithoeken worden ingericht.

Klassieke opstelling voor een plek van samenkomst. Het geheel van bankstel en fauteuil neemt een centrale plaats in de kamer in.

Hoekbankstel met chaise longue met een combinatie van kussens in meerdere kleuren. Model *Jules et Jimm* van Moroso.

Bankstel met verschillende elementen:
rechte bankstellen, hoekmodulen,
sofa-delen, ronde modulen, gewelfde
bankdelen, leunstoel en poef.
Design van Roche & Bobois.

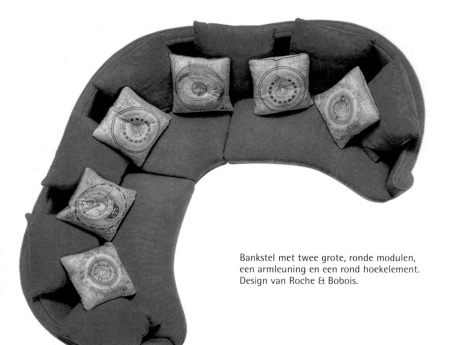

Bankstel met twee grote, ronde modulen, een armleuning en een rond hoekelement. Design van Roche & Bobois.

Hoekmeubel *Roma* met stoffering van geblokt Dakar-katoen. Model van Kilo Americano.

Bankstel bestaande uit meerdere elementen:
rechte bankstellen, hoekmodulen, sofa-delen,
ronde modulen, gewelfde bankdelen, leunstoel
en poef. Design van Roche & Bobois.

Uitklapbaar. Een stevige structuur en een optimale, zachte zitting bepalen *Basiko*, een groot bankstel met ruime zit, met onbewerkte stoffering. *Basiko* van B&B Italia.

Driezitsbank *London*, ontworpen door Matthew Hilton, met gedraaide, houten poten en zitting en rugleuning van polyurethaan. Model van Perobell.

Dankzij de *Balillo* bankstellen slaagt Antonio Citterio erin een fijne verbinding tussen traditie en moderne tijd te vinden. Het ontwerp wekt verwondering door het contrast tussen de sierkussens en het frame. Model van B&B Italia.

Driezitsbank in hout
en metaal met
polyurethaanlaag en
een beschermende stof.
Metalen poten. Design
Metropolitan van
Alberto Lievore
voor Perobell.

Florence is een driezitsbank,
ontworpen door Lievore & Co, met
een houten basis met leren bekleding
en kussens met afneembare hoezen.
Model van Perobell.

Appartement dat bijna volledig is ingericht met roestvrij staal. De bankstellen en de trap bestaan uit rechte, zachte lijnen. (links)

Accenten

De inrichting van de woonkamer dient een zekere harmonie uit te stralen die bepaald wordt door de architectonische elementen, het beschikbare meubilair of het centrale meubelstuk dat is gekozen. Het interieur moet zijn aangepast aan kleurschema's en de logica van textielen. Kleine oplossingen kunnen gevonden worden middels verlichting en enkele accessoires.

Zithoek van bankstellen met metalen poten. De zachte profielen van de ramen passen prima bij het interieur.

De woonkamer van de woning *Zorn* van de architecten *Krueck en Sexton*. Om de kamer tot een geheel te maken is gekozen voor avant-gardistisch meubilair in zeer moderne lijnen. (onder)

De zachte, warme okertinten fungeren als afbakenend element in deze woonkamer die door een hardboardmuur van andere kamers wordt gescheiden. *Casa Margarida:* Aranda, Pigem, Vilalta Arquitectes.

Riet, hout en natuurvezels maken deze woonkamer met grote ramen en doorzichtige gordijnen tot een compleet interieur. Het *Charlotte*-huis, ontworpen door Günter Behnish.

Het *Lawson-Westen*-huis van Eric Owen Moss wordt bepaald door de gestructueerde meubels waarmee de woonkamer is ingericht, zonder daarbij de combinatie van de zwarte en honingtinten van het hout uit het oog te verliezen. (rechts)

Het optimale interieur

In moderne ruimten neigt men het meubilair te camoufleren middels het gebruik van glas voor salontafels of stellingkasten. Sfeer van Mateo Grassi. (rechts)

Tegenwoordig spelen de eisen van de markt en de wensen van de gebruiker de hoofdrol in de binnenhuisarchitectuur. Vergeleken bij het traditionele meubilair heeft het huidige meubilair aan hoogte ingeboet. De ontwerpen streven ernaar hindernissen te vermijden en het algemene zicht op de ruimte te beperken. Zelfs meubelen die tegen de muur worden geplaatst, zoals dressoirs en boekenkasten, zijn kleiner van omvang. Ook in de materiaalkeuze is het ruimtelijk aspect van doorslaggevend belang. Zo worden glas en kristal veelgebruikt als materiaal voor bovenbladen van bijzettafeltjes en opbergmeubelen.

De kleur wit en het aluminium zorgen voor zeer open composities bij opbergmeubelen. Collectie *Sapporo* van Stua.

De nieuwe fauteuils worden ontworpen met buisstructuur en lage rugleuningen. Design *Frog* van Piero Lissoni voor Living.

Lichthouten stellingkasten passen perfect in moderne kamers en geven een rustige aanblik. Ruimte van Matteo Grassi. (rechts)

Oriente is een rondvormige fauteuil met stalen strips en hoge rugleuning. Design van B&B Italia. (rechts)

Deze meubelen onderscheiden zich door de extreme rechtlijnigheid. Het enige afwijkende element vormen de poten, in hout of nikkelstaal. *Apta Collection* van Maxalto.

Met componentensystemen kan men elementen van elkaar scheiden om elke ruimte optimaal te benutten. Model *Box* van Living. (rechts)

Met een ruime, uit componenten bestaande wandboekenkast kan men de ruimte optimaal benutten. Ook dankzij de afwerking in donkere tinten en het gebruik van afgeschuind glas. Van B&B Italia.

Bijzettafeltjes, krukjes en
bankjes met dunne verchroomde
poten zijn uitgevoerd in een
zeer luchtig, licht design.
Geproduceerd door Maxalto.

Zeer gevarieerde
stellingkast in cacaokleur
die weinig ruimte
inneemt. Van Maxalto.

In een componentenboekenkast kan men een gedeelte inrichten voor de beeld- en geluidsinstallatie. Ontwerp in hout met glazen boekenplanken, metaal met parelgrijze vernislaag. Design van Galli. (links)

Beeld en geluid

De beeld- en geluidsapparatuur neemt een belangrijke plaats in de inrichting van de woonkamer in. De ontwerpers hebben nuttige meubelen gecreëerd, zoals opbergkasten en karretjes om de apparatuur duidelijk naar voren te laten komen of juist te verbergen.

Cd/videocassettemeubel van gesoldeerde, metalen buizen met vernislaag. Het is in meerdere samenstellingen te gebruiken en is bedoeld om cd's of video's willekeurig op te bergen. Ook kan de muziekapparatuur of de televisie erop worden geplaatst. *Onda Radio Due* is een design van Ron Arad voor Fiam Italia.

Opbergmeubel *Onda Kart* van gegolfd glas met verplaatsbare en verstelbare legplanken. Het is uitgerust met wieltjes en zo makkelijker te verplaatsen. Design van Ron Arad voor Fiam Italia.

Een componentenboekenkast heeft een speciale ruimte voor de televisie. Design van Interi met notenhouten afwerking. (links)

Metalen cd-muurkasten
met vernislaag en
beukenhouten laminaat.
Model *Sund* van Ikea.

Robin is een creatie van
Knut Hagberg en Marianne
Hagberg, uitgevoerd
met dikke, berkkleurige
zijpanelen. Ikea. (rechts)

Compac van Interi is een multifunctioneel meubel
waarin een boekenkast en televisiemeubel zijn
opgenomen. Model *Pescante* van Interi met metalen
poten en notenhouten afwerking.

Vierkante bijzettafel
met basis van massief
sparrenhout en beukenfineer.
Model *Peso* voor Habitat.

Audio-/videomeubel met
kersenhouten meubelplaat.
Schuifdeuren in matglas.
Design van Habitat.

Op moderne, lage meubelen met
stalen poten kan men de televisie
plaatsen en die perfect
integreren in de algemene
inrichting van de woonkamer.

Horizon 547 voor een minimale ruimte voor televisie en video. Uitgerust met wieltjes. Design van Willem Sterken voor Leolux.

Kaleidos 540 opbergkast voor beeld en geluid, design van Axel Enthoven voor Leolux.

Movie is een notenhouten karretje voor televisie en hifi-installatie. Het houten draaivlak wordt ondersteund door een zwart, metalen frame. De plaat van het opbergmeubel is van matglas. (rechts)

Bijzettafel van massief beukenhout, model *Penta*, met een vernislaag van aminoplast, op een handgeweven tapijt, model *Galette*. Habitat.

Ciack TV, een ontwerp van Elli & Moltoni voor Porada, is een notenhouten televisiekar met een zwart, metalen frame. Op het onderste vlak zitten enkele zwarte bogen van getextureerd metaal.

Een oude muur van metselsteen, gedecoreerd met een abstract schilderij, fungeert als uitgangspunt voor de inrichting van een moderne woonkamer, met volumetrische bankstellen en een glazen salontafel. Design van Moroso. (links)

Blikvangers

Voor zover mogelijk moet de zit- of praathoek dichtbij enkele van de natuurlijke blikvangers van de woonkamer gelegen zijn, dichtbij het grootste raam of de open haard. Indien dit niet het geval is, moet de belangrijke plaats van de zithoek bevestigd worden door bijvoorbeeld een andere verwerking van de vloer. De andere plekjes in de woonkamer zullen bijzaak worden en ingericht zijn met ander meubilair, waarbij de inrichting echter wel een zekere esthetische samenhang moet behouden.

Een groot raam met houten panelen voor de inval van natuurlijk licht vormt de achtergrond waartegen een driezitsbank en een fauteuil de boventoon voeren. Design van Moroso.

Een oud schilderij dient als blikvanger. Een bankstel met beige bekleding is eronder geplaatst en zorgt voor een elegante sfeer. Design van Moroso. (links)

Muren met gewelven en richels kunnen het aandachtspunt vormen op basis waarvan de inrichting van een originele en moderne woonkamer wordt bepaald.

Een vloerkleed dat als blikvanger fungeert, staat centraal in deze kamer die door een groot raam wordt verlicht. Design van Matteo Grassi.

De schoorsteen is vaak het middelpunt van een woonkamer, waar omheen een gezellige sfeer kan worden gecreëerd. Design van Moroso.

Een paneel van afgeschuind
glas met beukenhouten
profiel fungeert als
uitgangspunt voor de
inrichting van deze kleine
ruimte waarin een bankstel
met metalen poten
en citroengele stoffering
staat opgesteld.

Enkele tegen de
muur steunende
schilderijen
vormen het
aandachtspunt in
deze kamer. Het
rondvormige
bankstel staat
ervoor. Design van
B&B Italia.

Het gebruik van glanzende, metalen materialen bij stellingkasten accentueert de rechtlijnigheid van deze ruime woonkamer. (links)

De dominante rechte lijn

De huidige vormen worden langzaamaan verfijnd. De rechte lijn en varianten daarop overheersen de algemene esthetiek, enkele uitzonderingen daargelaten. Dit is zelfs het geval bij de scherpe zijkanten, die verzacht worden door de hardste profielen af te schuinen of te ronden. Door de optisch rechte lijnen van meubels kunnen gezelligere ambiances worden gecreëerd en zijn combinaties mogelijk waarbinnen men intieme sferen kan verkrijgen. Maar zelfs door de verfijning ontstaan toch gestileerde vormen, die eveneens verwant zijn aan de rechte lijn.

Divan in rechte lijnen, met houten frame op verchroomde, aluminium poten. Model *Box*, design van Piero Lissoni voor Living.

Woonkamer in gestileerde vormen met een grote, lage houten tafel. *Ambiance* van Living.

Combinatie van stellingkasten, uitgevoerd met plaatstalen ellipsbuizen. Dragers en kopstukken met beukenhouten afwerking. Het is een design van Gabriel Teixidó voor Enea. (links)

Fauteuil met skai bekleding en buisvormige, aluminium poten.

Grijs- en crèmetinten vormen het profiel van meubelen en voorwerpen met zeer eenvoudige en weinig omvangrijke lijnen. *Ambiance* van Leolux. (links)

Waldorf tweezitsbank, design van Roberto Lazzeroni. Het is vervaardigd van hout en heeft een vormvaste polyurethaanschuimlaag.

Glazen stellingkast met metalen steunen schept een rechtlijnigheid die de ruimte meer kracht geeft. Design van Matteo Grassi.

Kastje van matglas, met metalen onderplaat. Model van Stua. (rechts)

Bankstel met hoge, hoekige armleuning, dat opvallend wordt door het profiel van de bekleding. Onder de sierkussens ligt een sluimerrol. Model Baisity van B&B Italia.

Elegante elementen: de chaise longue en de voetenbank

De oude divans en voetenbankjes worden gemoderniseerd met originele vormen en gewaagde textielsoorten.

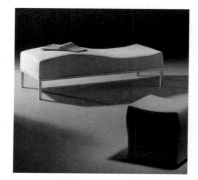

Pouff Papua uitklapbaar tot bed.
Van Kilo Americano.

Agua Relax is een poef in minimalistisch ontwerp, met een metalen onderstel met een verflaag van aluminiumpoeder met vernis. Met afneembare hoes. Het is een model van Diego Fortunato voor Perobell.

Ruime voetenbank met aluminium
poten en blauwe alcantarabekleding.
Model *Charles* van B&B Italia.

Chaise longue gestoffeerd met
bloemmotieven. Uitgevoerd met
wieltjes en makkelijk te verplaatsen.
Van Roche & Bobois.

Chaise longue met een armleuning. Model *Casablanca* van Kilo Americano.

Poef met witte stoffering en cacaokleurige, houten poten. Van Dialogica en Aspectos.

Chaise longue met houten poten. Uitgevoerd met een comfortabel hoofdkussen. Design Metropolitan van Perobell. (links)

Naast een boekenkast is een grote chaise longue met handige armleuning geplaatst.

Chaise longue ontworpen in touw of doorzichtig pvc, met katoenen kussens. De metalen buisstructuur heeft een vernislaag van epoxypoeder. *Frog* is van Living Divani. (links)

Chaise longue met beukenhouten poten. Collectie Club New Classic van Cyc.

Chaise longue ontworpen door Maya Lin voor KnollStudio met een houten onderstel en metalen poten.

Een geordend leven

De nieuwe stellingkasten zorgen voor zeer ruime en zeer handige, multifunctionele opbergruimten in de woonkamer. De huidige trends zijn open stelling-kasten of componentenstellingkasten met houten of glazen schuifdeuren, klapdeuren of vouwdeuren. Ze hebben een lichte structuur, nemen weinig ruimte in en zijn uitgerust met aluminium of stalen dragers, en soms handige wieltjes.

Stellingkast met verticale legplanken en beukenhouten meubelplaten met vernislaag. Model *Adelfi* van Habitat.

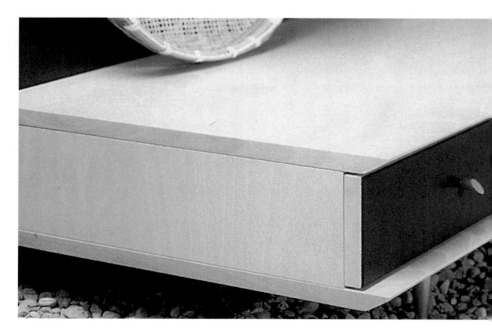

Combinatie van
stellingkasten
in lichtgekleurd
en zwart hout,
met multi-
functionele
laden in het
onderste deel.
Design van
Matteo Grassi.
(boven)

Combinatie van stellingkasten *Argento Vivo* met cacaokleurige afwerking. Collectie *Zona Giorno* voor Galli. (links)

Stellingkast met wengé-afwerking met een vitrinekast voor porselein. Design *Aura* van Interi. (onder)

Stellingkast waarin ebbenhout- en beukenhouttinten worden gecombineerd. Design *Isola* van Bisana. (boven)

Stellingkast *Moda* in getint beukenhout met vernislaag, met acht legplanken van matglas. Het is een model van Roche & Bobois.

Componenten-
stellingkast van
zilverkleurig
aluminium.
De glazen
legplanken zijn
uiterst veilig
en de muur-
steunen zijn
van gesmeden
aluminium en
hebben een
zilverkleurige
verflaag.
Design *Naos*
van Gabriel
Teixidó voor
Enea.

Console in mat
glas, met
decoratieve
dragers van
chroomstaal.
Design van
T. Colzani voor
Porada

Achter een bankstel met skai
bekleding vormt een glazen
stellingkast met aluminium onderstel
een nuttige opbergruimte.
Design van Roche & Bobois. (rechts)

Verplaatsbare componenten-
stellingkast in kersenhout.
Op wielen met rem.

Mooi en makkelijk

Bijzettafeltje vervaardigd van natuurlijk beukenhout met kleurloze vernislaag, met handige, ingebouwde lade. Design van Habitat. (rechts)

Voor de woonkamer zijn er ook nuttige, handige meubelen die het interieur orgineel en elegant aanvullen.

Atena is een kersenhouten, verchroomd tijdschriftrek met kromme, houten steunder. (rechts)

Klein opbergmeubel om accessoires op te bergen of uit te stallen. Uitgevoerd in natuurlijk beukenhout met stalen handvaten.

Houten kruk *Pochino* met aluminium poten. Design van Hans Peter Weidmann voor Artek. (boven)

Een barmeubel dat ook bruikbaar is als lage tafel of zitelement. Het is makkelijk te verplaatsen en is uitgevoerd met een onderplaat van halfdichte houtvezels. Model van Habitat.

Bijzettafel uitgevoerd in halfdichte houtvezelstructuur, met zwarte mahonieverflaag. Model *Patty* maakt deel uit van een oude collectie van Habitat. (links)

Kamerscherm om sferen te scheiden.

Console in jaren '30-stijl, vervaardigd van honingkleurig, massief kersenhout, roestvrij staal en chroom, met glazen legplank. Collectie *Trocadero* van D. Ezan voor Roche & Bobois.

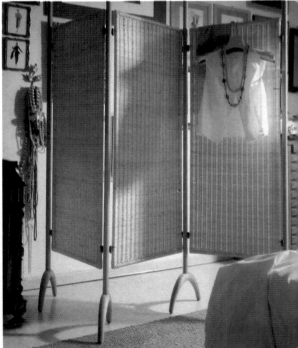

Set van massief
kersenhouten tafeltjes met
houten boogornament.
Model *Duetto* van T. Colzani.
Van Porada.

Miniboekenkast met
kersenhouten meubel-
plaat, schuifdeur en
uitschuifbare legplank.
Virgule is een creatie van
A. Gamba en L. Guerra
voor Roche & Bobois.

Luna is een handige serveertafel
in massief kersenhout met
doorzichtige glasplaten die in
het houten frame zijn ingebed.
De handvaten zijn van verchroomd
metaal. Van Porada.

Hangend opbergmeubel.
Ontwerp *Dama* in kersenhout,
met voorzijde van matglas.
Cacaokleurige afwerking.
Design van Galli.

Voetensteunen en
voetenbankjes kunnen
eveneens als salontafels
worden gebruikt. (rechts)

Originele salontafels

Een traditionele, vierkante of
rechthoekige salontafel is beslist
geen must in uw interieur. U kunt
ook kiezen voor een kofferkist, een
voetenbankje, een hutkoffer, etc.

Een aantal kistjes kunnen als
een geïmproviseerd tafeltje
voor tijdschriften of kopjes
fungeren.

Een hutkoffer is een ideaal
meubelstuk om in het midden of
naast een bankstel te plaatsen.

Een klein, houten
beeldhouwwerk dient
als tafel voor Afrikaanse
kunst. Ambiance van
B&B Italia.

Een antieke, houten deur
dient als originele salontafel.
De tafel is uitgerust met
zwenkwielen zodat deze
makkelijker te verplaatsen is.

Componentenboekenkast met
aluminium poten. Model *Raiz
Cuadrada* van Interi. (links)

Multifunctionele
boekenkasten

De woonkamer is ook een
plek om allerlei voorwerpen
te bewaren en uit te stallen,
van huisraad tot boeken
en accessoires. De nieuwe
combinatieontwerpen zijn veelzijdig en maken composities
mogelijk die voldoen aan de
behoefte. De structuur is licht
van gewicht, uitermate stevig
en vervaardigd van contrasterende materialen als matglas
en verhard aluminium.

Klapdeuren, verticale schuifdeuren van glas,
een ruime plek voor de televisie en
makkelijk te openen laden bepalen de
nieuwe lijnen van de moderne boekenkast.
Model *Wall to Wall* van Poliform. (boven)

Overzichtsfoto en gedetailleerde foto.
Componentenboekenkast met ruimte
voor hifi-apparatuur en televisietoestel.
Design van Grattarola. (onder)

Boekenkast met boogdeuren in
berkenhouten fineer en synchroon-
opening. Uitgevoerd met vijf afgewerkte
legplanken. Design van A. Gamba en
L. Guerra voor Roche & Bobois.

Glazen, rustieke
vitrineboekenkast met
panelen. Design voor
Roche & Bobois. (rechts)

Componentenontwerp *Bibliophile*
met elementsysteem waaronder
houten en beglaasde deuren,
schuifdeuren, welvingen, uitklapbare
elementen, cd-/video-rek, barmeubel
en halogeenverlichting. Het is een
creatie van G. Gorgoni voor Roche
& Bobois.

Boekenkast *Sapporo*, design van Jesús Gasca voor Stua. Het is een componentenontwerp in gesatineerd glas en gesmeden aluminium.

Metropolis is een componentenontwerp van Antonio Citterio, met veel combinatiemogelijkheden, uitgevoerd met aluminium schuifdeuren en berkenhouten frame. Van Tissetanta.

Houten componentenontwerp gecombineerd met front in matglas en aluminium poten en handvaten. Design *Altamar* van Interi. (links)

Kleine boekenkast *Quadratus* met een ondiep onderstel dat in contrast staat met het grote oppervlak van de schuifdeuren. De legplanken kunnen worden uitgevoerd met aluminium accessoires voor videocassettes en cd's. Notenhouten nerfafwerking en doffe, witte vernislaag. Van Tissetanta.

Salontafels

Novocomun. G. Terragni.

Café. Giacomo Passai.

Navigli. Calligiris.

Seven. Giacomo Passai.

Verona. Nancy Robbins.

Vulcano. Vico Magistretti.

Collectie *Apta.* Antonio Citterio.

Domino. C.R. Mackintosh.

Par. L. Alba en J.M. Casaponsa.

Arabesco. Zanotta Spa.

Salontafel. T. Mizutani.

Tafel *Phidea.* Pete Sans.

T-Jules. Moroso.

T-Big Mama. Moroso.

Olimpia. Sancal

Prima. Sancal.

Fauteuils

Fauteuil *Tokyo*.
Nancy Robbins.

Fauteuil *Bloody Mary*. Jordi Busquets.

Fauteuil *Latin*.
Fauteuil Lover.
Fauteuil Lucky.
Gabriel Teixidó.

Armstoel *Bravo*.
Sergi en Oscar
Devesa.

Fauteuil *Madison*.
Patricia Guiotto.

Fauteuil *Basilea*.
Ka International.

Fauteuil *Galatea*.
Bros Contract.

Fauteuil *Itaca.*
Bros Contract.

Fauteuil *Do Re Mi.*
Moroso.

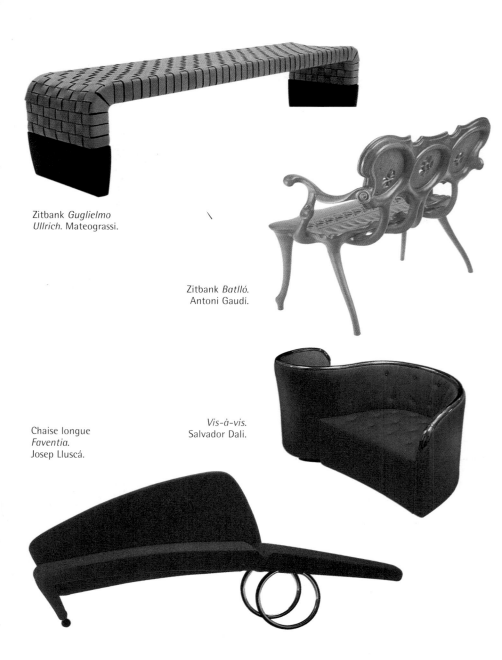

Zitbank *Guglielmo
Ullrich*. Mateograssi.

Zitbank *Batlló*.
Antoni Gaudí.

Chaise longue
Faventia.
Josep Lluscá.

Vis-à-vis.
Salvador Dalí.

Fauteuil *M*. Brever.

Fauteuil *Bogart*.
Giacomo Passai.

Fauteuil *Metro*.
Estudi Metro.

Collectie *Apta*.
Antonio Citterio.

Fauteuil *Ghost*.
Fiam Italia.

Bankstellen

Pelikan Design. Frederica Stolefabrik.

Armstoel *Monza*. G. Terragni.

Cubic. L. Alba & J.M. Casaponsa.

América. Moroso.

Armstoel *Guglielmo Ullrich*. Mateograssi.

Havana. Swan.

Portland. Swan.

Wind. Swan.

Borghese. Swan.

Tamigi. Moroso.

Jelly. Piero Lissoni.   *Strömstad.* Ikea.

Easy. Moroso.   *Waldorf.* Roberto Lazzeroni. Moroso.

Burnham. Laura Ashley.

Osborne. Laura Ashley.

Margot. Swan.

Mimmy. Massimo Losa. Moroso.

Armstoel *Mortimer*. Laura Ashley.

Armstoel *Burnham*. Laura Ashley.

Armstoel *Denbigh Leather*. Laura Ashley.

Armstoel *Club*. Moroso.

Rotor. Enea.

Cabriolet. Enea.

Club. Moroso.

Armstoel *Bejar*. KA International.

Armstoel *Barcelona*. KA International.

Armstoel *Bari*. KA International.

Armstoel *Bilbao*. KA International.

Armstoel *Denbigh*. Laura Ashley.

Armstoel *Brecon*. Laura Ashley.

Armstoel *Kreta*. B. Sancal.

Armstoel *Avaniko Plus*. Sancal.

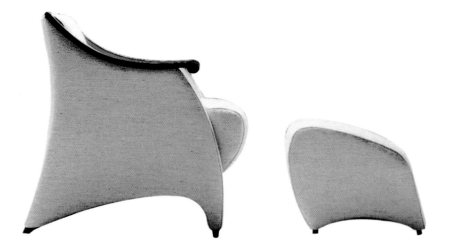

Armstoel *Taif*. Sancal.

Armstoel Florence. B&B Italia.

Armstoel *Valmont*. Sancal.

Armstoel *Gluan*. Marc Newson. Moroso.

Armstoel *Chicago*. Cyesa.

Eetkamers

D e klassieke vorm van de eetkamer vereiste (en vereist) een homogeen meubilair. Het meubilair vormde één geheel waarin tafel, stoel en meubels onafscheidelijk waren. Bovendien moest de eetkamer altijd voor gebruik gereed zijn. De huidige eetkamer (of moderne eetkamer, zo men wilt) pleegt meerdere stijlen samen te voegen, is zeer veelzijdig en wordt keer op keer opnieuw ingericht. Dankzij deze flexibiliteit kan men de kamer in elke situatie en op elk moment aan ieders behoeften aanpassen.

Aangezien in de moderne woningen er vaak geen ruimte over is, zijn er steeds minder woningen met een aparte eetkamer. Daarentegen neemt het aantal eetkamers toe die voor meerdere doeleinden worden gebruikt (woon-eetkamer, keuken-eetkamer, eet-werkkamer). Dit type kamers is niet moeilijk te meubileren; wat de eetkamer betreft, zijn alleen een tafel en enkele stoelen nodig die bij de rest van de kamer passen. Hoe het ook zij en welke ruimte er ook fungeert als eetkamer, er dient eerst voor enkele zaken een oplossing te worden gevonden, voor men de kamer gaat meubileren.

Uiteraard is van belang of het een plek wordt die alleen voor het nuttigen van maaltijden of ook voor andere doeleinden zal worden gebruikt; tevens dient men te weten hoeveel personen en hoe vaak ze gebruik zullen maken van de eetkamer; wat het maximaal aantal tafelgenoten is en of er ruimte gereserveerd moet worden voor het opbergen van accessoires (serviesgoed, tafellinnen, etc.).

De indeling van de eetkamer, zoals in het algemeen de indeling van elke andere kamer in het huis, dient te geschieden op basis van de afmetingen en de vorm ervan. Zo kunnen de juiste keuzes gemaakt worden. De afmetingen van de kamer geven aan over hoeveel ruimte we beschikken. Daarmee bepalen we meteen welke meubelen het meest geschikt zijn voor het vertrek. De vorm van de kamer geeft ons een globaal idee over hoe we de ruimte kunnen inrichten en tevens welke tafel het beste past.

De vorm van de tafel dient altijd een afspiegeling te zijn van de eetkamerruimte. Zo bepaalt men of deze vierkant of rechthoekig moet zijn. Uiteraard is er altijd de mogelijkheid een ronde tafel neer te zetten, dat een veelzijdiger meubelstuk is. In de eetkamer draait alles om de tafel. Als de kamer exclusief als eetkamer wordt gebruikt, kan de tafel in het midden blijven staan, maar dan zodanig dat de doorgang niet gehinderd wordt. Meestal is het echter beter deze aan één zijde of in een hoek van de kamer te plaatsen, ofwel tegen de muur.

Wanneer u een tafel gaat uitzoeken, houdt er dan rekening mee dat er ook hiervoor voorwaarden gelden. Wanneer u tafel en stoelen koopt, gaat u eerst aan de tafel zitten. Controleer of de hoogte juist is en of de armleuningen van de stoelen eraan zijn aangepast. Elke stoel is ongeveer 65 cm breed, en 5 cm breder indien het een stoel met armleuningen betreft. De breedte van de tafel moet dus minimaal 75 cm zijn. Een rechthoekige tafel voor zes eters moet minstens 130 cm lang zijn; voor acht personen ongeveer 210 cm. Ronde tafels kunnen een diameter hebben die tussen één meter (voor vier stoelen) en 150 cm (voor een talrijk gezin) varieert.

De stoelen kunnen om de tafel heen staan, maar het is beter ze goed te verdelen. Ze kunnen tegen de muur gezet worden en aan tafel wanneer ze worden gebruikt. Als we over voldoende ruimte en goed meubilair beschikken, dienen we stoelen aan te schaffen die aan die ambiance beantwoorden; in dat geval kunnen ze beter groot en comfortabel zijn.

Gezien het doeleinde waarvoor ze zijn bestemd, dient men niet te vergeten dat ze snel vuil worden. Indien ze gestoffeerd zijn, moeten we er dan ook voor zorgen dat de bekleding sterk en wasbaar is. Zo niet, zijn we genoodzaakt regelmatig de stoffering te vervangen. Enkele modellen hebben losse sierkussens die naar de wasserette kunnen worden gebracht zodra ze vuil zijn.

Een eventueel aanwezig wandmeubel of dressoir bepaalt in grote mate de ruimte. Meestal wordt deze tegen de muur geplaatst, maar soms kan het fungeren als scheiding van de kamers, als een denkbeeldige muur die de eetkamer van de woonkamer scheidt. Wanneer het wandmeubel of de dressoir hoog is, overtreft het de tafel in esthetisch opzicht. In dergelijke gevallen moet het altijd opgesteld zijn bij de muur tegenover de natuurlijke lichtbron (het licht dat door het raam binnenvalt).

Stoelen

De stoel heeft maar één functie
en is toch een van de meest
gebruikte meubelstukken en
bovendien het enige meubelstuk
dat werkelijk makkelijk te verplaatsen is.
Het is in feite een zeer eenvoudig meubelstuk, maar vrijwel
alle ontwerpers van deze eeuw
hebben een of meerdere modellen ontworpen.

Het gebruik van buisvormige frames in flexibel
staal ontketende in de jaren twintig een revolutie in het design van stoelen. De meeste moderne architecten hebben met dit materiaal geëx-
perimenteerd en daarbij enkele van de meest
gebruikte modellen van deze eeuw ontworpen.
Op deze pagina staan enkele stukken van Eileen
Gray (rechtsboven), Marcel Breuer (hierboven),
Marcel Stam (rechts); op de volgende pagina,
een stoel van Mies van der Rohe.

Gelamineerd hout is een ander
kenmerkend materiaal voor de
stoelen van de 20e eeuw. Op deze
pagina: stoelen van Charles
Eames, Alvar Aalto en Jesús Gasca.

De bekende *Mier* van Arne Jacobsen voor Fritz Hansen.

Hout met een zwarte laklaag in een Art Nouveau-traditie. Boven, twee modellen van begin deze eeuw van C.R. Mackintosh en Josef Hoffman. Onder, twee moderne modellen van Sigurd Strom en Kisho Kurokawa.

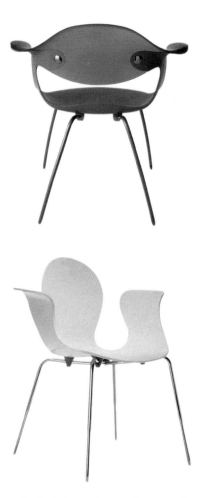

Synthetische vezels en ronde vormen. Van
boven naar beneden: de *Bohème* stoel van
Björn Alge, *Bluebelle* van Ross Lovegrove, de
bekende *Tulp* stoel van Eero Saarinen en twee
modellen van de firma Fasem, *Crop* en *Rosa*.

Op de vorige pagina, drie klapstoelmodellen die Habitat levert: Camp, Square en Macadam; en een model van Antonio Citterio voor Kartell: *Dolly*. (links)

Op deze pagina meerdere stoelen in pitriet. Boven, *S* van Tom Dixom; onder, *Atlantide* van Miki Astori; en in de rechterkolom, *Miss B* van Pier Antonio Bonacina, *Lisa* van Pete Sans en *Fina Filippina* van Oscar Tusquets.

Beklede stoelen. Boven,
Greystoke van Alfredo Arribas
en *Nicola* van Habitat. Onder,
Marsina van M. Ramazzoti voor
Zanotta, *Fido* van Toshiyuki Kita
en *TV-Chair* van Marc Newson,
beide voor Moroso.

Temps, van Jorge Pensi voor Punt Mobles.

Tafels met
glazen boven-
bladen
vergroten
de ruimte
in visueel
opzicht en
creëren
mooie licht-
contrasten.

Gasteneethoek in
het *Huis van Water
en Glas*, gebouwd
in 1995 door
Kengo Kuma in
Shizuoka (Japan).

Evenals in het huis op de pagina hiernaast, contrasteert in deze door BDM Arquitectes gerenoveerde woning het glas met de ruwe materialen van het plafond en de vloer. In dit geval bevindt de eetkamer zich tussen een patio en een tuin en fungeert daardoor als een soort tunnel voor het licht dat niet wordt onderbroken door het glazen meubilair.

Lámpara Olvidada ontworpen in 1976 door Pepe Cortés. Het hangijzer is verkoperd en de lamphouder is van verchroomd messing, waaraan 3 lichtbuizen van 60 W zijn bevestigd. Geproduceerd b.d. (boven)

Deze eetkamer in een huis dat door Tonet Sunyer in 1997 is ontworpen, combineert traditie met moderne stijl. Aan de ene kant het plafond met Catalaans gewelf, de stoelen en het vloerkleed, alle van plantaardige vezels; aan de andere kant, een tafel van glas met stalen poten op wieltjes en de lamp van Pepe Cortés. (links)

De halfronde eetkamer van het *Check House*, gebouwd door KNTA Architecten in Singapore, is ontworpen met de ronde vorm van de middentafel als basis. Het meubilair is aan de architectuur voorafgegaan.

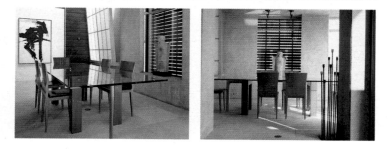

In de eetkamer van dit huis, gebouwd door Rob Wellington Quigley in 1994, is een schilderij van Klein de blikvanger.

Toen het bekende Franse
architectenechtpaar Gilles Jourda en
Françoise Perraudin hun eigen huis
vlakbij Lyon bouwden, selecteerden
ze de meubelen uit stukken van
moderne meesters, in het bijzonder
Le Corbusier. De glazen tafel van
Le Corbusier staat ook in deze
woning die door Campi & Pessina
in Montagnola is gebouwd.

Twee gevallen van tafelblad in mat glas. (boven en rechts) Glazen tafels geven ruimten een helderdere aanblik.

Eetkamer van Villa Wachter, van Jo Crepain in Antwerpen.

Stoel Globus van Jesús Gasca voor Stua.

Glazen tafelbladen doen een indruk van lichtheid ontstaan.

In het huis dat door
Kazoyu Sejima in het
Bos van Tateshina is
ontworpen, overheerst
het gevoel van ruimte
de functionele eisen
van de eetkamer.
(rechts)

In dit huis in Kumamoto, dat door
het Italiaanse team Citterio & Dwan
is ontworpen, staat de grootte van
de ruimte (weinig gebruikelijk in
Japan) in contrast met de letterlijke
opleving van het traditionele
interieur. In het Kidosaki-huis
voert de Japanner Tadao Ando
de handeling andersom uit; hij
introduceert westers meubilair
in een architectuur die wordt
gezien als een geometrische
abstractie van de Japanse ruimte.

Japans accent

De oriëntaalse, Japanse stijl
wordt gekenmerkt door
minimalisme en bijna
afwezige decoratieve
elementen.

In dit huis zijn twee volledig
verschillende eetkamers bedacht
door Yoshihiko Lida. De eerste
eetkamer is volledig met hout
ingericht en lijkt op die in een
berghuis, terwijl de tweede,
met uitzicht op een patio, zich
in Tokyo lijkt te bevinden. Hier
zijn meerdere stukken Europees
meubilair te zien zoals de lamp
Arco van Achile Castiglione en
de stoel *Mier* van Arne Jacobson.
(links)

In deze twee huizen
van Naoyuki Shiraka-
wa staat de eettafel
tegenover een enorm
schuifraam met
uitzicht op een
binnenpatio.

Grote, open ruimten

De keuze van tafel en stoelen vergt speciale zorg daar ze als een geïsoleerd ensemble in de grote ruimte verschijnen.

Woning in Bern, van Daniel Spreng.

Woning in Rome, van Massimiliano Fuksas.

Het interieur van
deze drie eetkamers
profiteert van de
ruimte met dubbele
hoogte precies
boven de tafel. Ook
hier is het geselec-
teerde meubilair, in
contrast met de
ruimte van de zaal,
bijzonder licht en
minimaal. Woning
in Le Véniset van
Donati & Dubor.

Twee Zwitserse
huizen naast een
meer: het Walser-
huis van Luigi
Snozzi en het
Russ-huis van
Ernst Giselbrecht.

Casa Amat van Antoni de Moragas.

Woning op Great
Cranberry Island
van Peter Forbes.
Het overdadige
gebruik van hout
heeft als doel een
warme, gezellige
sfeer te scheppen
in een gebied waar
barre weersom-
standigheden
overheersen.

In de *Stremmel*-woning, die in 1994 door Mark Mack in
Reno (Nevada) is gebouwd, is de omvang van de ruimte
van invloed op de grootte van alle elementen. Concreet
gezegd, de eettafel bestaat niet uit één enkele tafel, maar
uit twee identieke tafels die achter elkaar geplaatst zijn.

In de eetkamer
van het huis van
Steven Spielberg
in The Hamptons,
ontworpen door
Gwathney &
Siegel, worden de
traditionele ma-
terialen van lan-
delijke woningen
in ere hersteld.

Het huis ontworpen door Jaume Riba in Sant Jaume de ses Oliveres doet denken aan de ruimtelijke inrichting en de materialen die in het Paviljoen van Barcelona van Mies van der Rohe werden toegepast. Het gekozen meubilair is echter van de jaren zestig.

Door de tafel naast een groot raam te plaatsen, lijkt de eetkamer zich tot in het landschap uit te strekken.

Eetkamer van het Wabbel-huis van Wolfgang Döring.

De bekende stoel, ontworpen
door Mark Stam. De werken
van Stam, Breuer en Mies
met de stalen buisstructuur
ontketenden een ware
revolutie in het design van
stoelen, daar de buizen de
traditionele poten vervingen.

De eetkamer van dit
appartement in de
Parijze Rue Dahomey,
verbouwd door Patrice
Hardy, wordt verlicht
door een groot
dakvenster. Het
vloeroppervlak met
witte tegels, de witte
muren, het hangende
wandmeubel en de
doorzichtige stoelen,
reflecteren het licht
perfect. In deze
minimalistische ruimte
vormt de verticale
verwarmingsradiator een
blikvanger die bijna als
een beeldhouwwerk op
de voorgrond treedt.

De eettafel van de Goldsborough loft – in het Londense Soho en gerenoveerd door AEM Architects – wordt gebruikt zowel voor het nuttigen van maaltijden, als voor studie of werk. Een wandplaat van glas scheidt de eetkamer van een van de slaapkamers.

Travertijntafel en stoelen van Hans
Wagner in de eetkamer van *Villa
Neuendorf*, gebouwd door John Pawson
en Claudio Silvestrin. De eetkamer
opent zich naar een rechthoekige patio
die door muren wordt omsloten.
In het *Gaspar*-huis van Alberto Campo
Baeza bevindt de eettafel zich tussen
twee identieke, rechthoekige patio's.
Beide woningen vormen de bekendste
voorbeelden van de minimalistische
architectuur van de jaren negentig.

Op de volgende pagina
een tafel ontworpen door
Antonio Citterio voor de
collectie *Apta* van B&B.

Functionele eenvoud

Fabrikanten van kwaliteitsproducten maken eetka-
mermeubelen in zeer eenvoudige, strakke lijnen die
een grote, esthetische kracht behouden en waarin
bijna geen kromme vormen te vinden zijn. In de
ontwerpen voor moderne eetkamers tracht men de
lijnen zoveel mogelijk te vereenvoudigen en daarbij
geleidelijk naar comfort te zoeken, zowel op het
gebied van onderhoud als gebruik.

De Aladino-lijn van de firma
Andreu World, die door Giacomo
Passai is gecreëerd, is een
ontwerp dat is gebaseerd op
eenvoudige, ononderbroken
lijnen als kenmerk voor een
functioneel, esthetisch meubelstuk.
(rechts)

Detail van de Rima-stoel,
ontworpen door Giacomo
Passai, uitgevoerd met een
informelere stoffering. (boven)

Klassieke structuur voor een geheel
van pure, gestileerde lijnen.
Functionaliteit en comfort in een
minimalistisch ontwerp. (rechts)

Ensemble in eenvoudige lijnen van de firma
Galli. Het opvallende, houten bovenblad van de
tafel is in evenwicht met het zitvlak van de stoel
en versterkt de afwezigheid van kromme vormen.

Eenvoud en kwaliteit zijn de concepten die uit dit design van Giacomo Passai naar voren komen. (rechts)

Elegantie en functionaliteit in het model Rima van Andreu World. Een sobere houtstructuur waarmee de intentie wordt versterkt om één tint in de gehele ruimte door te voeren. (rechtsonder)

Serie Notorius ontworpen door E. Gottein en G.F. Coltella voor Porada. Het geheel is uitgevoerd in kersenhout en wordt gestileerd door één uniek ornament in de afwerking van de armleuningen.

Calligaris heeft een gemoderniseerd conceptontwerp van de bekendste en populairste stoel. Een avant-gardistisch design voor een discrete, elegante collectie.

De architectuur van de Aladino-stoel wordt bepaald door de twee welvingen die de armleuningen vormen.

Stoffen en motieven

De eetkamer en de eet-woonkamer zijn twee zeer verschillende ruimten met een inrichting die van-uit verschillende gezichtspunten wordt benaderd. De onafhankelijke eetkamer kan opzichtiger zijn ingericht, met intense kleuren, rijke motieven en weelderige accessoires. In de eet-woonkamer worden de tinten bepaald door de woonkamer.

Eetkamer van *Milledge Residence*. De aanwezige Jacobsen-stoelen in lichte tinten vormen een contrast met de donkere tinten van de tafel en geven het geheel een sterk visueel karakter.

De combinatie van stoffen kan ook delen van het huis onderscheiden. Het eetgedeelte heeft een eigen karakter dankzij een combinatie van klassieke stoffen en nuances op een tapijt. Het contrast met de decoratie suggereert een eigen ruimte.

De structuur van de woning is het hoofdmotief van het interieur, terwijl de tafel de eetkamer een eigen karakter geeft. (rechts)

De spectaculaire architectuur van het *Russ House*, werk van Ernst Giselbrecht, voert de boventoon in een inrichting waarin functionaliteit wordt gezocht. (links)

"S" House, werk van Toyo Ito, is een architectuur uitgevoerd in voorgefabriceerde onderdelen die de ruimten afsluiten en deze een zeer eigen karakter toekennen. In de eetkamer bevindt zich deze onregelmatige tafel die het originele karakter van de gehele woning weerspiegelt.

Moderne elementen in een rustieke ruimte in een "sans sens" met surrealistische ideeën. De soberheid van de elementen in de eetkamer staat in contrast met de omgeving.

Door in deze ruimte één tint door te voeren, die aan alle elementen een nieuw eigen karakter geeft, wordt het individuele karakter van deze eetkamer versterkt in verhouding tot andere delen van de woning.

Umberto Riva is de architect van Casa Insigna, waarin deze eetkamer zich bevindt met volledig contrasterende tinten en stijlen. De antieke stoelen staan centraal in een ruimte met absolute eenvoud. (onder)

Deze combinatie geeft de eethoek een discreet karakter, dat zich met de omgeving vermengt. (rechts)

Dubbelfunctie

Er bestaan twee basisprincipes om een eetkamer te decoreren: de eerste stelt een strakke functionaliteit en het exclusieve gebruik van een scala aan kleuren, stoffen en afwerkingen als uitgangspunt en is zeer geschikt voor kleine kamers. Het tweede principe versterkt het contrast tussen de woonkamer en de eetkamer en geeft elk deel een onafhankelijk karakter.

Balú is een design van Giacomo Passai voor de firma Andreu World uitgevoerd in een uniek kleurengamma. De muur, afgewerkt met witte bakstenen, versterkt het karakter van de ruimte en zal deze van de woonkamer scheiden.

Ensemble *Claudio* van Giacomo Passai. Deze eetkamer is volledig onafhankelijk en versterkt het individuele karakter door een samenspel van alle elementen.

Jorge Pensi tekent voor Sutil, een ensemble uitgevoerd in hout en metaal met een functionaliteit die aan designs voor cafetaria's doet denken. De verbindingswand met de keuken scheidt de eetkamer van de woonkamer en geeft deze een eigen karakter. (rechts)

Het sobere, rechte en elegante
dressoir past bij de donkergroene
tinten van de stoelen en wordt op het
bovenblad weerspiegeld. (links)

Nieuwe versies van dressoirs

Tegenwoordig is er meer aandacht voor de
samenstelling van het gehele interieur van
eetkamers. De huidige versies van de antieke
dressoirs zijn componentenkasten die de
ontwerpers eveneens bewerken tot aerodynamische vormen, met massief kwaliteitshout,
metaal of glas in verschillende afwerkingen.

Detail van het dressoir
Navigli van Calligaris.

Twee grote constructies, uitgevoerd
in Italiaans notenhout, creëren een
symmetrie aan weerszijden van deze
eetkamer van Tissetanta. (onder)

Apta Collection van Maxalto, is een
werk van Antonio Citterio.
De eenvoudige vormen en de sobere
afwerking zijn kenmerkend voor
dit meubel dat ontworpen is
om een centrale plaats in de
woon-eetkamer in te nemen. (boven)

Galli tekent voor dit dressoir
uitgevoerd met een voorzijde van
doorzichtig glas. Het horizontale karakter maakt het dressoir geschikt voor
een plaats onder een raam. (rechts)

Klassieke opstelling van een recht
dressoir. Het is uitgevoerd met een witte
laklaag en kersenhouten bovenplaat en
combineert functionaliteit met de
visuele discretie die het uitstraalt.

Model *Navigli* van Calligaris.
Dit dressoir is uitgevoerd in
natuurlijk beukenhout met een
glazen bovenplaat en eist door
zijn vormgeving een vrije,
eigen hoek in de eetkamer op.

Hoewel de tendens een
ontwikkeling naar kleinere modellen
vertoont, presenteert Galli dit
model van de collectie *Dama*. De
rechte structuur past in een
elegante, heldere eetkamer.

Tafel voor twee. Eenvoudige vormen en schematische functionaliteit in een ensemble bestaande uit de tafel *Milano*, een design van Josep Mora, en stoelen *Egea* van Jesús Gasca.

De beste keuze

Het meubilair dat voor de eetkamer wordt uitgekozen, moet niet alleen opvallend zijn, het moet bovendien passen bij de kenmerken en afmetingen van de kamer. Daarbij moet er te allen tijde achter de stoelen een wijde doorgang vrij blijven zodat men comfortabel aan tafel kan zitten.

De tafel *Quadratta*, met grote esthetische en structurele eenvoud, zorgt door de vierkante vorm voor comfortabele, ruime zitgelegenheid aan tafel.

Tavolo 95 is een design van Achile Castiglioni dat zich baseert op structurele eenvoud met grote functionaliteit en esthetiek.

In de rustieke sfeer van deze kamer staat de eenvoudige, functionele decoratie van alle meubels centraal.

De ronde structuur van de tafel biedt plaats aan meer personen in een ruimte zonder dode hoeken. In deze opstelling is een dressoir te zien met een eenvoudige structuur om de ruimte niet te veel te belasten.

Een perfecte cirkel

Eettafels kunnen rond, ovaal, vierkant en rechthoekig zijn. Aan ronde tafels kunnen meer personen zitten dan aan rechthoekige tafels en is het makkelijker met elkaar te converseren. Ronde tafels met een centrale poot bieden meer beenruimte, maar ze zijn minder stabiel dan vierkante tafels.

Andreu World presenteert dit design van Giacomo Passai, onder de naam *Calpe*. Functionaliteit en comfort in een geheel van eenvoudige lijnen.

Zanzibar is verre van een traditioneel design, waarin tafels enkel en alleen als steun voor voorwerpen fungeren. In dit geval krijgt de tafel tevens de functie van opbergmeubel. (rechts)

Zero is een gestructureerd ontwerp waarin kromme lijnen duidelijk overheersen. De rugleuningen van de stoelen corresponderen zowel qua vorm als materiaal met het tafelblad.

Detail van de stoel *Calpe* van Andreu World. De welving van de rugleuning benadrukt de vormen en geeft het geheel daarbij een eigen karakter. (links)

In *Check House*, een architectuur van de KNTA-groep, vinden we deze glazen tafel waaraan een tiental personen kan zitten. Het avant-gardistische design is de weerspiegeling van een moderne, rationele ambiance.

Vico Magistratti tekent voor dit ensemble bestaande uit de eettafel *Shine* en twee stoelen *Flower*. Esthetische elegantie in een evenwichtig en eenvoudig design.

Op een aantal gestileerde, cilindervormige poten ligt het bovenblad van dit model, onder de naam *More*, uitgevoerd met twee matglazen bladen aan weerszijden van een blad in doorzichtig glas. (rechts)

Eettafels

Tafel *Sistema SP*. Alberto ➤ Lievore & Co.

Tafel *Mayra*. Chueca.

Tafel *Versus*. Giacomo Passai.

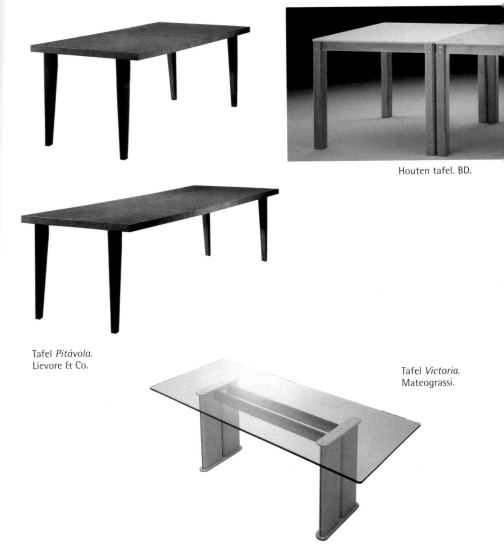

Houten tafel. BD.

Tafel *Pitávola*.
Lievore & Co.

Tafel *Victoria*.
Mateograssi.

Tafel *Diedro.*
Roberto Barbieri.

Tafel *Enterprise.*
Calligaris.

Tafel. Jorge Pensi.

Tafel *Risico Basic*.
Calligaris.

Tafel *Albert*.
Calligaris.

Tafel *Aventino*.
Calligaris.

Tafel *Elemental*. L. Alba
en J.M. Casaponsa.

Tafel *Obelisco*. L. Alba
en J.M. Casaponsa.

Tafel *T-Square*.
Moroso.

Tafel *T-Waiting.*
Moroso.

Tafel. Klaus Bergen.

Tafel *T-Sem.* Moroso

Globus. Jesús Gasca. (rechts)

Andrea. Josep Lluscá.   *Kion.* Indecom/Just Meyer.

Jorge Pensi.   *Lia.* Roberto Barbieri.

Eetkamerstoelen

Global. Josep Lluscá. (links)

Knoll.

Trazo. Sandal.

Melandra. Antonio Citterio.

Poef *Pluto.* Promemoria

Tiscar. Carles Tiscar.

Onda. Juan Montesa.

Madeira. Giacomo Passai.

Divino. Pete Sans.

Bittersüss. Mateograssi.

Claudia. Giacomo Passai.

Fullerina. Mateograssi.

Fullerina FLO 3. Mateograssi.

Milenium. Calligaris.

Guglielmo Ullrich. Mateograssi.

Principe. Calligaris.

Canova. Calligaris.

N.Y. Calligaris.

Pará. Calligaris.

Vanity. Calligaris.

Movie. Calligaris.

Dressoirmeubels

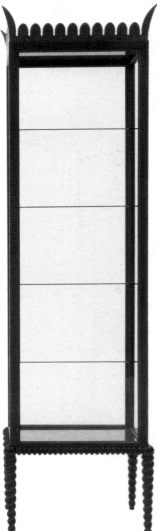

Collectie *Apta*. Antonio Citterio. Maxalto.

Guglielmo Ullrich. Mateograssi.

Sistema. Grupte.

Elementair opbergmeubel. Estudi Metro.

Neguri. L. Alba en J.M. Casaponsa.

Collectie *Apta*. Antonio Citterio. Maxalto.

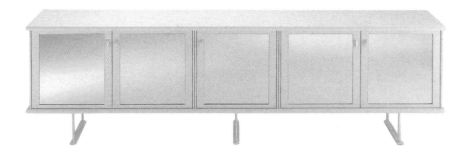

Bonn. Enzo Mari.

Util. L. Alba en J.M. Casaponsa.

Keukens en apparatuur

De keuken is een van de meest gebruikte vertrekken in huis. Daarin wordt een gerecht bereid, de afwas gedaan, en soms wordt het als eetkamer gebruikt; men loopt er constant in en uit. Daarom moet men bij de inrichting ervan zowel de functionele als decoratieve aspecten in ogenschouw nemen.

De ideale keuken is een keuken die zich optimaal aan onze behoeften aanpast, de beschikbare ruimte optimaal benut en de architectuur van het huis respecteert. Er kan voor een grote variëteit aan stijlen gekozen worden: de avant-gardistische keuken – waarin de kwaliteit van het hout gecombineerd wordt met de meest geavanceerde techniek –, de veelkleurige keuken, de technologische keuken – in een semi-industriële stijl waarin bij uitstek staal als materiaal wordt toegepast –, of de natuurlijke keuken – die geschikt is voor platteland en stad, waarin materialen worden gebruikt als kersenhout, beukenhout of teakhout.

De inrichting van elke keuken zal in grote mate afhangen van de grootte van het vertrek. De meubels kunnen tegenover elkaar staan, in een U-vorm of achter elkaar; als de ruimte het toelaat, is ook een centraal werkblad mogelijk. Ongeacht onze keuze, we dienen de volgende zaken niet uit het oog te verliezen. Het is belangrijk dat de meest gebruikte elementen – fornuizen, gootsteen, huishoudelijke apparatuur – tamelijk dicht op elkaar staan en dat, indien hun standaardhoogte niet comfortabel is, we ze met een platform verhogen.

De gootsteen is het element dat het moeilijkst is te vervangen, vanwege het afvoersysteem. Het is derhalve beter deze niet te verplaatsen. Het aanrecht moet een klein stukje uitsteken, om het met meer gemak te kunnen schoonmaken. Daarnaast moet men ervoor te zorgen dat er zich aan weerszijden van het fornuis een werkblad bevindt. Vanwege materiaalmoeheid van dit soort coating, moeten we kiezen voor kwalitatief sterk materiaal.

248

Tegenwoordig zijn er materialen die natuurlijke en synthetische producten combineren. Zo kunnen we onder andere beschikken over perslaminaten, wat een zuinig en makkelijk schoon te maken alternatief is. Duurder zijn houtsoorten als beukenhout of teakhout: zeer aantrekkelijk, doch ze vereisen intensief onderhoud. Een andere, dure coating is marmer, dat het voordeel heeft makkelijk wasbaar en zeer esthetisch te zijn. Ook roestvrij staal is makkelijk schoon te maken, combineert perfect met andere materialen en is zeer resistent. Een traditionelere optie zou tegelwerk zijn, maar dat breekt gemakkelijk als er iets zwaars op valt.

De vloer is een ander soort probleem waarbij lang over de juiste keuze getwijfeld kan worden. We kunnen uit redelijk wat materialen kiezen: waaronder terrazzo, kurktegels, vloerbedekking van rubber of vinyl. Vooral voor de keuken bestaat de ideale vloerbedekking niet. Daarom moeten we bij onze keuze de factor schoonmaak heel serieus nemen. Een mooie, doch niet sterke vloer kan ons, na de eerste blije momenten, veel kopzorgen bezorgen.

Wat echter zonder twijfel, leven en vrolijkheid aan een keuken geeft, is de verlichting. In de meeste gevallen is er geen natuurlijk licht dat in deze ruimte binnenvalt. Daarom zullen we kunstlicht moeten gebruiken als we een heldere, aangename ruimte willen creëren. Om meer licht in de keuken te krijgen, moeten we de juiste lampen kiezen en een inrichting kiezen met lichte kleuren. Donkere kleuren absorberen het licht en verkleinen de ruimte. Het werkblad dient perfect verlicht te zijn: de meest gebruikelijke optie is tl-verlichting onder de keukenkastjes. Ook is het mogelijk verschillende sferen te creëren door halogeenlampen aan het plafond, waarmee de tafelruimte kan worden benadrukt en deze een intiemer karakter krijgt. Een andere mogelijkheid is een in hoogte verstelbare hanglamp.

In de keuken hebben huishoudelijke apparaten nog nooit zo'n belangrijke rol gespeeld. Ovens, vitrokeramische kookplaten, koelkasten, afzuigkappen, wasmachines, vaatwassers en magnetrons gaan hand in hand teneinde onze levenskwaliteit te verbeteren en onze kooktaak — die na een dag hard werken soms zwaar tegenvalt — te vergemakkelijken. Alle merken hebben avant-gardistische huishoudapparaten op de markt gebracht met een bijzonder design. Maar naast het esthetische aspect moeten ze gemakkelijk af te wassen zijn, veilig, stil en snel en ze moeten energie, wasmiddel, en nog belangrijker, tijd besparen!

Werkbladen

Moderne keukens worden tegenwoordig ontworpen met systemen vol functionele elementen. Het zijn volledig uitneembare delen waarvan de inhoud volkomen zichtbaar is.

In deze module van Leicht springt het nieuwe centrale kookblok in het oog, uitgevoerd met een granieten werkblad en een roestvrij stalen schouwafzuig-kap. De klassieke muurmontage verdwijnt, waardoor de indeling nieuwe dimensies krijgt.

Een kookblok met werkblad van roestvrij staal.

Tafels voor informele maaltijden

In dit hoofdstuk worden die gedeelten van de keuken gepresenteerd die niet alleen voor werkzaamheden als de bereiding van maaltijden geschikt zijn, maar ook als een plek om bijeen te komen. Het gaat om al die plekken die meestal worden gevormd door een tafel met stoelen of krukjes die midden in de ruimte staan en waar men van een snel en informeel ontbijt, middag- of avondmaal geniet. Een barbuffet of een uitschuiftafel kunnen een goede optie zijn.

Twee zeer verschillende opties. Aan de ene kant, een vleugelbuffet met daaraan twee in hoogte verstelbare krukjes, geproduceerd door Sie Matic. Aan de andere kant, een traditionelere versie bestaande uit een rechthoekige, houten tafel en drie rotanstoelen tegenover een driezitsbankje.

Opnieuw twee tegengestelde keuzen: een model van Sie Matic dat doet denken aan de sfeer in een bar door de bartafel met zwarte laklaag en de hoge krukken, en daarnaast het Alnopur-ensemble dat een tafel met marmeren blad combineert met een stoel die door Starck is ontworpen.

Tafels tegen een muur of
tussenschot om ruimte
te winnen en bewegings-
vrijheid te vergroten,
tafels tussen twee unieke
stoelen in voor beperkte
ruimten, tafels ontworpen
als uitbreiding van de
hoofdmodule van de
keuken, Amerikaanse
keuken gecreëerd op basis
van een bar die de twee
ruimten tussen keuken
en woonkamer scheidt
bij smalle keukens... elk
alternatief is geschikt om
een eethoek in de keuken
op te nemen.

Ronde
aluminium
tafel met
bijpassende
stoelen in
stalen
buisconstructie
met metalen
zit- en rugvlak.

Een andere
mogelijkheid: tafel met
wieltjes waarmee een
snelle verandering van
de opstelling mogelijk
is. Het is raadzaam
geen zware construc-
ties te ontwerpen die
een verplaatsing
bemoeilijken.

Deze nieuwe optie combineert de verschillende ontwerpen van dit hoofdstuk. Het presenteert een tafel op wieltjes die bovendien uitschuifbaar is en een onafhankelijk tafelblad vormt dat direct uit de muur springt. Met bijbehorende metalen stoelen met houten rugleuning van de serie *Zapping*.

Bijzettafel voor een eetkamer in rustieke stijl. De tafel heeft een vaste, houten centrale structuur en twee uitschuifbladen in hetzelfde materiaal. Aan de onderkant van het tafelblad zijn enkele laden bevestigd waarin veelgebruikt tafellinnen of bestek kan worden opgeborgen.

Keukens van staal

Tot voor kort waren keukens van staal slechts in restaurants te vinden, maar de laatste jaren komen ze in steeds meer huishoudens voor. Enkele van de bekendste keukenfirma's (Bulthaup, Boffi, Schiffini, etc.) vervaardigen modellen in dit materiaal.

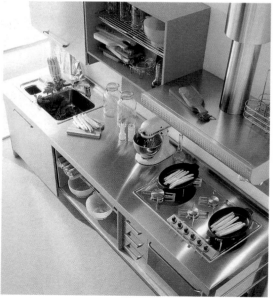

Diverse meubelen

Met zijn designs beoogt
de ontwerper Peter Maly
meubelen te creëren die
zich laten kenmerken door
absolute eenvoud en dui-
delijke lijnen. Het resultaat van dit besluit was
"Duo", een serie opberg-
meubelen waarvan we op
deze pagina een voorbeeld
zien: een vierkant model,
verdeeld in diverse vakken
en uitgevoerd met laden,
inclusief deur in doorzichtig glas.

Schuifdeuren, plastic materialen, originele tegeldesigns, kleurcombinaties, glas, hout, staal... al deze elementen omvatten de huidige tendensen op het gebied van keukendesign.

Hoewel hout niet een materiaal is dat standaard wordt gebruikt in de bouw van hedendaagse keukens, vormt het in dit ontwerp het basiselement: vloeren, muren, aanrechten, kasten, laden, deuren, stoelen, alles is ontworpen en vervaardigd op basis van dezelfde houtsoort.

Model *Kuka*, van Snaidero.

De industriële tendens staat los van de moderne mogelijkheden voor het keukenontwerp. Toch neigen de ontwerpers ertoe elementen uit keukens van grote restaurants toe te voegen aan hun keukeninterieurs voor kleine huishoudens.

Deze keuken is door Blue Team ontworpen en maakt deel uit van de serie Schiffini, model *Byron*.

De meubelen die deze kamer een levendig karakter geven, maken deel uit van de collectie *Stua*. Het zijn originele, praktische ontwerpen en ze vormen een warm, aangenaam geheel. De boekenkast is van het model *Sapporo*, de tafel van het model *Zero* (design van Jesús Gasca), vervaardigd van aluminium met stalen basis. De stoelen (eveneens een design van Jesús Gasca) horen bij het model *Globus*. Het zijn lichte, elegante, stapelbare stoelen met een aantrekkelijke lijnvoering. Stalen buisstructuur, zitting en rugleuning leverbaar in kersen-, beuken-, esdoorn- of essenhout.

Landelijke keukens

Wanneer u een landelijke keuken renoveert
of verbouwt, is het belangrijk om alle
mogelijkheden te bestuderen: ook al geeft
men vanuit esthetisch oogpunt de voorkeur
aan zeer eenvoudige lijnen, het is raadzaam
synthetische afwerkingen in levendige, lichte
kleuren te combineren met afgebeten, natuurlijke
houtsoorten in eiken-, kersen- of beukenkleur...

Model *SE 1001 KER*
geproduceerd door
Sie Matic. Het geheel
is afgewerkt met blauw-
geverfd eikenhout. (boven)

De ambachtelijke
tegels geven
landelijke
keukens karakter
en kleur.

Model *Alnoholm* van
Alno. Het meubilair is
afgewerkt met natuurlijk
berkenhout.

In rustieke afwerking
zoekt men naar
intimiteit en warmte.

De moderne, rustieke stijl is een zeer actuele tendens. De muur, geverfd in warme kleuren, benadrukt het karakter van het hout en zorgt voor een elegante indruk.

Om de sfeer van een rustieke keuken te creëren moet een groot werkblad worden ontworpen. Deze moet zijn afgewerkt met tegelwerk en een schouwafzuigkap.

Een van de belangrijkste delen van een keuken is het aanrecht. Het aanrecht moet sterk zijn want het is het deel van de keuken dat het meest te lijden heeft: het moet resistent zijn tegen inkervingen, kou, warmte, vochtigheid en vet. Het nadeel van hout is dat het een teer materiaal is. Daarom moeten er kleine werkbladen zijn van staal, graniet of marmer als versterking voor veelgebruikte delen.

De ladenkast uit een fourniturenzaak, de metalen blikken uit de vorige eeuw, de glazen flesjes, de spontane compositie op basis van pannen, deksels, haken en kettingen: al deze elementen krijgen een toegevoegde esthetische dimensie, die zeer kenmerkend is voor rustieke ambiances.

Militante moderniteit

Onze huidige levenswijze is enorm veranderd vegeleken met enkele jaren geleden, en niet alleen op esthetisch niveau, maar ook op het praktische vlak. Dit heeft uiteraard invloed op het design van hedendaagse keukens. In dit hoofdstuk verschijnen enkele representatieve voorbeelden van de "militante moderniteit".

Deze enigszins
ongebruikelijke keuken
ontworpen door Storch
& Ehlers (Hannover) blinkt
uit in functionaliteit.

De flexibiliteit van de
serie *Metropolitan* is gelegen in
het feit dat de mogelijkheid wordt
geboden uit op maat gemaakte
componenten te kiezen.

Grote keukens

Om de keuken wederom als een grote woonruimte te beschouwen, moeten we het beeld van de keuken als dienstruimte even vergeten. Een woonkeuken creëren kan alleen als de ruimte groot en licht is.

Twee keukens van Poggenpohl waarin het werkblad een centrale positie inneemt.

Model *Linea* van ~eicht. (links)

Programma 5003 van Eilin. Meubelen
die eerder bij andere kamers hoorden,
zoals een stellingkast, worden
geïntroduceerd en veranderen het
traditionele beeld van de keuken.

Met uitzicht

Traditioneel gezien is de keuken een ruimte waarin het meubilair de muren volledig bedekt en zo een gevoel van een afgesloten ruimte creëert. Door het werkblad bij een raam te plaatsen, wordt dit gevoel weggenomen en glijden de verschillende schakeringen van het natuurlijke licht door het interieur.

De keuken wordt veelal gezien als een functionele ruimte. Een directe verbinding met buiten voegt een aangename sfeer aan deze functionaliteit toe.

De aanwezigheid van meubilair en het gebruik van enkele bijzondere materialen geven deze ruimte een speciaal karakter dat, aan de andere kant, door het licht van buiten wordt gemarkeerd. (onder)

Kleurgevoelig

Fantasie is de basisfactor voor een inrichting met kleur. Het belang van de toevoeging van kleuren aan het design en de decoratie is veelzijdig: de ontwerpen op deze pagina's geven ideeën, suggesties en aanzetten om kleurcombinaties toe te passen in de belangrijkste werkruimten in het huis.

VOLA: een vrolijke interpretatie van een keukendesign.

Effeti Cucine: model *Vola*. Colere.

Open keukens

Wanneer architectonische beperkingen ontbreken, kunnen van grote ruimten keukens worden gemaakt. Licht, een essentieel element bij het ontwerpen van een keuken, staat centraal in dit geheel in het Carmichael Huis. Ze bevindt zich naast een trap en is gericht op een groot raam, waardoor de lichte tinten versterkt worden door het licht van buiten.

De twee ramen die een hoek-structuur vormen dienen als basis voor dit ensemble in het *Behnish House*.

In het midden van deze
open ruimte bevindt
zich dit ensemble van
Enrique Norten.

Een open keuken in de
woonkamer die het licht van
twee grote ramen optimaal
benut. *Cashman House.*

Ruimte benutten

Vormen en afmetingen kunnen worden aangepast aan de elementen in de hedendaagse keukens. Dit maakt het mogelijk in een begrensde ruimte functionele meubelstukken te integreren in een duidelijk decoratieve omgeving. Een ovaalvormig raam gebruiken, bijvoorbeeld, of de voorzijde van de koelkast of vaatwasser inbouwen zijn voorbeelden van het huidige aanpassingsvermogen van meubelstukken.

Elementen aanpassen, hoeken goed gebruiken en de functies toepassen zijn essentiële zaken waar het bij de inrichting van een keuken om draait. Op deze afbeelding versterken lichte tinten en eenvoudige lijnen de lichtsterkte in een binnenkeuken waar geen natuurlijk licht binnenvalt.

Natuurlijk hout

"Minder is meer". Dat is het basisprincipe van design in dit hoofdstuk. Hoe duidelijker en soberder de lijnen en vormen, hoe stijlvoller de materialen: warm, klassiek hout in combinatie met roestvrij staal zorgt voor een stijlvolle en tegelijkertijd gezellige ambiance.

Het model *Ontario* van Leicht is modern en natuurlijk. Een elegant ontwerp met esdoornfineer in zilver- of goudtinten. Massief houten randen en verticaal gefineerde laden zijn een stijlvolle afwerking.

De perfecte aanvulling in een samenspel van lichtere lijnen. De kubuselementen horen bij het panelensysteem van de universele series van Sie Matic.

Combinatie 4003 in esdoorn. Van Sie Matic.

Technologie van Bulthaup

Dit Duitse merk heeft bij de fabricage van keukens altijd vooropgelopen op het gebied van design en technologie. Tegenwoordig worden keukens soms beschouwd als laboratoria waar maaltijden worden klaargemaakt.

Combinaties van staal en hout, verplaatsbare onderdelen, high technology-design, lakafwerkingen, afzuigkappen... dat zijn de ingrediënten voor het succes van Bulthaup. (links)

De keukens van Magistretti

Het Italiaanse design combineert
functionaliteit en esthetische strakheid.
Nieuwe keukens kenmerken zich door
veelzijdigheid en elegantie.

Met de klok mee: van de serie
Schiffini, het model *Cádimare*, het
model *Solara*, het model *Cina*. Op
de volgende pagina: van de serie
Schiffini, het model *Campiglia*.

De visie van Boffi

De serie ontwerpen van Boffi (Bofficucine)
kenmerkt zich door flexibiliteit en discretie.
Gekozen wordt voor moduulelementen die
opvallen door hun functionaliteit en
waarmee een nieuwe keukeninrichting
kan worden bedacht.

Met de verplaatsbare elementen
kan de ruimte voor elke
gelegenheid worden ingericht.
In enkele ontwerpen zijn onder
het werkblad enkele uitschuifbare
bladen in beukenhout opgenomen
waarop schalen en potten kunnen
worden gezet.

en Citterio...

De nieuwe Italiaanse keuken: warm, vol spontaniteit, precisie en creativiteit. De serie Archinea is ontworpen en uitgevoerd door Antonio Citterio en meekt gebruik van elementen met een grote traditie. Een unieke manier om ruimte, tijd en voorwerpen te ontwerpen en te gebruiken, en met de bereiding van maaltijden te experimenteren.

Keukensysteem *Artusi*. De naam is afgeleid van de bekendste Italiaanse schrijver van kookboeken.

Modellen *Italia*: design op maat op basis van het praktisch nut en de ruimte.

Keukenkasten

Uitschuifbare laden, draailaden... Al deze elementen spelen een belangrijke rol in het persoonlijke, creatieve ontwerp van een keuken. Aan de ene kant bieden ze een grote opbergcapaciteit en aan de andere kant hebben ze een grote decoratieve waarde. Dankzij de verschillende vormen, kleuren en materialen kan de keuken op harmonische of contrasterende wijze worden ingericht.

Beukenhouten wagentje met witte plastic mandjes (38 × 87 × 31 cm)

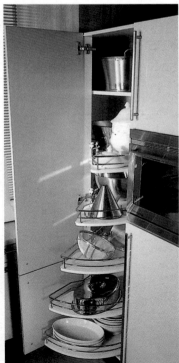

Binnenkasten zijn creatieve elementen in het ontwerp van een keuken. Gedurfde vormen en contrasterende kleuren geven het ontwerp een persoonlijke tint. De symmetrisch geplaatste, halfronde binnenkasten (Sie Matic) en een ronde binnenkast drukken een onmiskenbaar stempel op de keuken. De hoge kasten, in het bijzonder de hoekkasten, bieden op hun beurt meer ruimte en zijn makkelijk bereikbaar. Tot slot: enkele sterke, stevige, geruisloze en makkelijk te gebruiken laden maken de keuken zeer gebruiks-vriendelijk. De kasten die door Sie Matic zijn geproduceerd, zijn uitgerust met het Quadrotechniek-systeem, dat in volledig geopende positie een draag-last tot 12 kg kan trotseren, en zijn op basis van enkele kogellagers gebouwd.

De nieuwe ovens

Automatische programmering, interne
temperatuurregelaar, koude deuren,
automatische schoonmaak en ingebouwde
interactieve beeldschermen zijn de kenmerken
die de nieuwe generatie ovens definiëren.

Multifunctionele
oven HEN *Q, Bosch.*
(boven)

Magnetronoven met
vlakschermafzuigkap
M.A.C. Whirpool.

Combina-
tieserie,
Miele.

Inbouwoven,
Miele.

Zilvergrijze oven *PR 8 IN*, Rosières.

Gaskookplaat *Gaggenau*.

Multifunctionele oven
FI 1029 IN, Rosières.

Losse,
multifunc-
tionele oven,
AKG 637/IX.
Whirlpool.

Multifunctionele oven,
Oven Dialogic van Ariston.

Cocivap stoomoven,
Imperial. (boven)

Convex oven met
dwarsstroomven-
tilatie, Candy.

Oven,
Gaggenau.

Volledig in te bouwen
magnetron *CIG 100*, Candy.

Inbouwoven,
Gaggenau.

(Af)wasmachines

Inbouwwasmachine en
-vaatwasser onder het
aanrecht, Miele. (rechts)

De nieuwe modellen hebben Internetaansluiting, zijn
met metaal afgewerkt en worden ingebouwd in de
keuken. Inbouwwasmachines en -vaatwassers die
onder het aanrecht zijn te plaatsen, worden steeds
vaker gebruikt in moderne ruimten omdat ze makkelijk zijn op te nemen in het ontwerp en tegelijkertijd het totaalbeeld niet verstoren.

Vaatwasser *2000*, Ariston.

Wasmachine *WM
61147E EU "Edition
150"*. Siemens.

Wasmachine
*Margherita
Dialogic*,
Ariston.

Inbouwvaatwasser, Miele.

Vaatwasser met 7
afwasprogramma's, Candy.

Geïntegreerde
vaatwasser,
Rosières.

Inbouwvaatwasser, Miele.

Vaatwasser 45 cm, Rosières.

Vaatwasser SE 25560
EU, Siemens.

Geïntegreerde
wasmachine
van Rosières.

Built Inn, Ariston.

Wasdroger, van Candy.

Vaatwasser, Black
gamma, New Pool.

Vaatwasser 2000,
Indesit.

De nieuwe afzuigkappen

De nieuwe afzuigkappen passen perfect in de moderne keuken. Het voordeel van een model uit de nieuwe generatie ligt in de zuinigheid, het comfort en het maximale afzuigvermogen.

Uitschuifbare
afzuigkap,
Gaggenau.

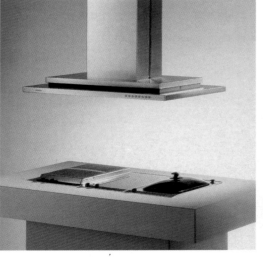

Stalen schouwafzuigkap,
Gaggenau.

Schouwafzuigkap voor
vrij werkblad, Gaggenau.

Afzuiger met
glazen kap, Miele.

Decoratieve afzuigkap,
Miele.

Decoratieve
afzuigkap,
Candy.

Kegelvormige afzuigkap
voor vrij werkblad,
Candy.

Schouwafzuigkap,
Rosières.

Decoratieve
afzuigkap, Rosières.

Decoratieve afzuigkap, Fagor.

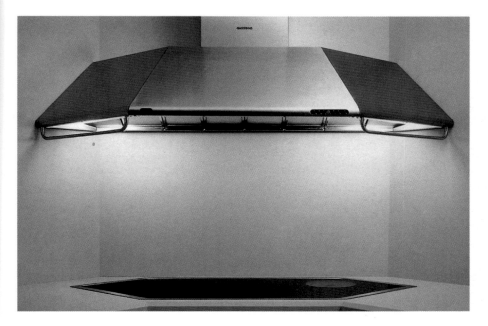

Koelkasten

Een van de nieuwe tendensen wat betreft koelkasten is de heropleving van de jaren '50-stijl. Metaalafwerkingen voeren de boventoon. Koelkastdeuren die van kleur veranderen al naar gelang het dag of nacht is, zijn voorbeelden van de verbazingwekkende nieuwe snufjes die steeds weer gepresenteerd worden. Ook controlefuncties overheersen.

Inbouwkoelkast en -vrieskist
onder het aanrecht, Candy.

Koelkast *Oz*,
Zanussi.

Koel/vriescombina-
tie *IK 300*,
Gaggenau. (rechts)

Bodega-
koelkast,
Gaggenau.

Syde by Syde,
Gaggenau.

Koelkast
Fr-700CB, Daewo.

Koelkast met
twee deuren en
een ingebouwde
klok, Whirlpool.

Koelkast *Old Style*, Rosières.

Eendeurskoelkast, Candy.

Koelkast *Fr-700CB*, Daewo.

Koelkasten *Old Style*, Rosières. (rechts)

Verticale diepvrieskast, Ariston.

Koelkast die van kleur verandert naar gelang het dag of nacht is, Whirlpool.

Koelkast *Self Supporting*, Ariston. (rechts)

Trappen

Trappen verbinden de verschillende verdiepingen in een woning. In de loop van de dag maken we er veel gebruik van en daarom moeten we ervoor zorgen dat we ze aan onze behoeften aanpassen en dat ze zo comfortabel mogelijk zijn. Maar, trappen moeten in de eerste plaats functioneel zijn. Wat het ontwerp betreft, is het belangrijk dat de trap perfect past bij de inrichting van het vertrek waarin hij is geplaatst. Dit geldt voor trappen met ronde lijnen en voor trappen met rechte hoeken.

Een trap in een rustieke woonkamer zal perfect in de sfeer integreren door een materiaal als massief hout te gebruiken. Een avant-gardistische zitkamer vraagt daarentegen om een gedurfde, vernieuwende trap. In dit opzicht genieten architecten en designers van het ontwerpen van trappen, want het is een element dat een grote creativiteit toestaat.

Tegenwoordig gebruikt men bij de productie van trappen diverse materialen: staal, doorzichtig glas, massief hout, marmer. Bij de keuze ervan moet rekening worden gehouden met prijs, kwaliteit en design. Elk onderdeel van de trap vereist bijzondere aandacht. De treden en de leuningen zijn gebonden aan zeer strikte, wettelijke normen. Wanneer er in het huis kinderen of bejaarden leven, moet er zeker veel aandacht worden besteed aan de leuningen. Voor leuningen bestaat er een groot scala aan designs. Aangezien de traptreden veel gebruikt worden, vragen ze een sterk materiaal.

Voor een betere veiligheid moeten de treden goed verlicht te zijn. Het zal pijnlijke vallen en stoten voorkomen. Enkele wandlampen langs de trap zijn meestal de beste oplossing. Bovendien verdrievoudigt het esthetische effect van een trap wanneer die met de juiste verlichting is gakarakteriseerd. Wanneer de trap echter in een vertrek staat waar natuurlijk licht binnenvalt, is het interessant te kiezen voor treden zonder stootbord. De natuurlijke verlichting wordt dan maximaal benut en het visuele effect vergroot.

We kunnen de muur waaraan de trap grenst in een kleur schilderen die minder besmettelijk is dan wit, omdat we in een deel van het huis zijn dat

zeer makkelijk vuil wordt of waar vaak tegenaan wordt gestoten. Het is niet ondenkbaar dat kinderen met hun vingers aan de muren zitten wanneer ze naar boven lopen. Het is echter wel belangrijk dat de betreffende muur niet kaal blijft. Schilderijen zijn de meest gebruikelijke optie. Het is beter om ze verticaal op te hangen, aangezien een horizontale opstelling bij een trap niet bijzonder esthetisch blijkt.

Ook moeten we de ruimte onder de trap niet vergeten. Als we dit gedeelte niet inrichten, zal het geen compleet geheel vormen. We kunnen de ruimte benutten door er een kast of opbergkast neer te zetten. Als we echter geen opbergkasten nodig hebben, is het een goede plaats om er een ladenkast neer te zetten met wat favoriete snuisterijen. Een andere originele en praktische oplossing is onder de kast een tatami en een futon neer te leggen die als logeerbed kunnen worden gebruikt.

Planten en bloemen lenen zich goed voor decoratie onderaan de trap. Maar ze kunnen eveneens perfect aan de treden worden aangepast en zo de verschillende niveaus levendigheid geven.

Als de woning smal is, is de wenteltrap de meest geschikte trap. Met dit type structuur kan natuurlijk licht tot de verschillende verdiepingen doordringen. Hoewel we zeer zeker ruimte zullen besparen met de wenteltrap, is het ook duidelijk dat deze minder comfortabel is dan de conventionele trappen.

Tegenwoordig zijn de trappen sober, in eenvoudige lijnen en hoewel ze verfijnd zijn, verschillen ze veel van de pracht en praal waarmee ze vroeger werden vervaardigd. Een trap in huis bouwen is geen zwaar, duur proces meer dat een complete verbouwing vereist. Het is vandaag de dag zelfs mogelijk in drie uur tijd een trap neer te zetten. Alles dankzij de moduulsystemen. Over het algemeen gaat het om voorgefabriceerde trappen en wenteltrappen, waarbij elke trede aan de volgende vastzit door middel van een middenas. De leuning is bevestigd aan de treden.

Uiteraard zijn er mensen die de trap niet willen omvormen tot het aandachtspunt van de woonkamer. Zij houden dan ook niet van voorgefabriceerde designs met gecompliceerde, opvallende vormen. Nogmaals, de algemene inrichting van het vertrek, het beschikbare budget en de kwaliteitseisen die aan het product worden gesteld, dienen het referentiekader te vormen.

Direct naar de woonkamer

In veel woningen bevindt de trap zich in de woonkamer. Deze ruimte krijgt een enorme esthetische dynamiek wanneer aan de gebruikelijke functie van de zit-kamer een element wordt toegevoegd dat een doorloop van de ruimte maakt. Wanneer deze twee functies elkaar overlappen, verandert de woonkamer in een veelzijdige ruimte.

De verschillende elementen die deze trap vormen, sluiten aan bij de tinten van de woonkamer.

Eenvoudige stijl voor een trap die de structuur van het muurvlak volgt. Door de rustieke inrichting van deze ruimte is op de trap zelf geen enkel decoratief element meer nodig.

Door de bijzondere architectuur van deze woning ontstaat een woon-eetkamer op verschillende niveaus die door kleine trapgedeelten wordt verbonden, wat de trap tot het belangrijkste element in deze ruimte maakt. (rechts)

De ronde vorm van deze trap begint in het woonkamer-gedeelte. Het trapgat is een doorgang gevormd door de fauteuils. (links)

In deze woon-eetkamer scheiden de twee niveaus van de vloer, de zithoek van de eethoek. De esthetiek van de trap sluit aan bij de treden die de twee delen scheiden, wat een zekere visuele continuïteit geeft.

Een eenvoudige trap, uitgevoerd in metaal, heeft twee trapgaten en vergroot daarmee, op zeer veelzijdige wijze, de toegangs-wegen tot de ruimte. Men kan de zitkamer inlopen of simpelweg de andere kant opgaan.

Vanaf de overloop

De overloop en de ontvangsthal zijn de gedeelten van het huis waar de trap wordt neergezet. Hier vervult het interieur een bijrol en laat daarmee de hoofdrol over aan de architectuur. De veelzijdigheid en de ruimtelijke eenvoud vormen een goed doordachte ruimte, die toegang biedt tot alle vertrekken in de woning.

Eenvoudige lijnen zijn het kenmerk van deze volledig houten overloop. De opstelling van de trap, in een hoek van deze ruimte, zorgt voor een vergroting van de doorgang.

Op basis van de overloop van deze trap is een meubelstuk geplaatst met meerdere legplanken. Een zeer veelzijdige, esthetische oplossing, daar de ruimte wordt benut en tegelijkertijd de structuur van het onderste deel van de trap wordt verhuld.

We moeten op de bovenverdieping kunnen komen zonder daarvoor door andere ruimtes te moeten gaan, zoals de woonkamer of de eetkamer. Met het oog op dit doel bevinden de meeste trappen zich in de ontvangsthal en op de overloop.

De logische plaats van een
overloop is het midden van
een woning. Overloop met
trap met een boven-
opening bij wijze van
dakraam. (links)

Voor een grote
conceptuele gelijkenis
van de overloop en de
ontvangsthal wordt in
beide ruimtes eenzelfde
soort meubilair en
decoratie toegepast.

In een ruimte waarin een
grote boekenkast centraal
staat, is een overloop ingericht waarin de afwezigheid
van deuren opvalt, wat de
ruimte volledig opent en
zorgt voor een zeer
eenvoudig lijnenspel.

Tussenruimte

De overloop van de trap is een ruimte die zelden meer dan twee vierkante meter bedraagt en daarom meestal niet wordt gedecoreerd. Maar door de ontbrekende ruimte mogen we de esthetiek van dit gedeelte niet vergeten, aangezien dit het enige deel van de trap is dat kan worden ingericht waardoor de monotonie van de treden kan worden doorbroken.

Bovenaan de trap is een originele werkplek neergezet, in een klassieke stijl.

Tussen de twee trapdelen is een ruimte die ingericht is met een legplank met ornamenten en drie schilderijen. Het interieur van dit gedeelte creëert een meer dynamische en esthetische sfeer.

De traditioneelste oplossing op de overloop is een lamp aan de muur. De verlichting van trappen mag enkel een sfeermakende functie hebben. (rechts)

Studeerruimten, werkruimten en bibliotheekmeubels

In een woning zijn er specifieke kamers voor elke dagelijkse bezigheid. Maar vaak gebeuren er verrijkende activiteiten, zoals studeren of lezen, die vanwege ruimtegebrek niet in een aparte, exclusieve kamer kunnen worden gedaan. Het is raadzaam dat iedereen die studeert over een eigen studeerkamer beschikt, want dat komt de concentratie, de orde en de werkgewoonten ten goede.

Maar niet alleen studenten hebben een werkkamer nodig, ook voor mensen die vanwege hun beroep thuis moeten (over)werken is het een vereiste. Als het niet mogelijk is thuis een werkkamer te maken, zal de studeerhoek moeten worden geïntegreerd in de woonkamer, de slaapkamer of elke andere kamer waar dat mogelijk is. Ook zijn er mensen die een ongebruikte plek in huis, zoals een vliering, tot werkruimte omvormen.

De boekenkast is onmisbaar in welke kantoorruimte dan ook. Weinigen kunnen zich de luxe veroorloven om er één kamer in het huis mee te vullen. Daarom moet de boekenkast in de studeerkamer worden geplaatst, of bij gebrek hieraan, in een hoek van de woning. Er is geen enkele reden om slechts één boekenkast in het huis neer te zetten. We kunnen boeken in de keuken, in de woonkamer of in de slaapkamer zetten. Ongeacht ons gebruik van de boeken, geven deze het vertrek een menselijk en aantrekkelijk karakter. We moeten ervoor zorgen dat de boekenkasten opgeruimd blijven; we kunnen boeken op alfabet of onderwerp rangschikken zodat ze makkelijker terug te vinden zijn. Uiteraard is het niet aan te raden ze op grootte of kleur te ordenen.

Maar in boekenkasten staan niet alleen boeken. Ook herbergen ze audiovisuele apparaten of decoratievoorwerpen. Daarom ook vervullen ze een aanmerkelijke esthetische functie. Ideaal is in elk geval een stille, comfortabele kamer, met fauteuils die tot lezen uitnodigen.

Boekenkasten kunnen een goede oplossing zijn om de dode hoeken in de woning te benutten. Ze zijn zelfs handig te gebruiken om verschillende kamers te scheiden, zoals de vestibule van de woonkamer. Ook kunnen ze de muren in de gang bedekken en op deze wijze de ruimte functioneel maken. Ongeacht de vorm die we voor dit meubelstuk nemen, is het belangrijk dat we voor kwaliteit kiezen. In de eerste plaats omdat het veel gewicht moet kunnen dragen en daarom sterk moet zijn; en in de tweede plaats omdat het duurzamer is.

Een complete werkruimte heeft, naast een boekenkast, nog andere onmisbare meubelen. Het meubilair moet aan bepaalde eisen voldoen.

Hoewel bepaalde meubelstukken die niet meer in gebruik zijn als kantoormeubelen kunnen worden hergebruikt, is het raadzaam dat de bureaustoel specifiek voor deze functie is bedoeld. Het is namelijk belangrijk dat deze comfortabel zit, ergonomisch is en dat rugpijn door een verkeerde zithouding ons bespaard blijft. Als de stoel met wieltjes is uitgerust, zal hij ons meer bewegingsvrijheid geven. Ook fauteuils zijn van vitaal belang in een werkkamer; ze geven ons de ontspanning die we zoeken wanneer we van een goed boek genieten.

Het bureau moet zo groot mogelijk zijn. Hout is hierbij het materiaal bij uitstek. Het moet een schrijftafel zijn die organisatie en concentratie toelaat. Ook is het belangrijk dat het bureau laden heeft om het werkmateriaal in op te bergen.

Maar in de werkkamer kunnen ook andere functionele elementen staan, afhankelijk van de verlangens en hobby's van het gezin. De piano is er een van; naast haar duidelijk muzikale functie, creëert ze een warme sfeer. En er zijn zelfs mensen die besluiten een barmeubel in hun werkkamer op te nemen. Maar uiteraard is de computer het element dat steeds gebruikelijker wordt en de typemachine heeft vervangen.

De droom van iedereen die een werkkamer heeft, is natuurlijk licht te hebben, en een open haard die warmte aan de ruimte geeft. In elk geval is het belangrijk over de juiste verlichting te beschikken. Er zijn werktafels die reeds zijn uitgerust met een ingebouwde specifieke lamp. Indien dit niet het geval is, is het noodzakelijk dat we een studeerlamp installeren die in overeenstemming is met het design van de kamer. Deze verlichting moet gecombineerd worden met een andere algemenere verlichting, in de vorm van spotjes of plafondlampen die voor een discrete, efficiënte sfeerverlichting zorgen.

Een hoek om te studeren

Elke hoek kan als studeerruimte worden ingericht. Het is echter noodzakelijk rekening te houden met de voorwaarden van de ruimte. Een studeerruimte moet goed verlicht en rustig zijn.

In dit huis in Duitsland heeft Norman Foster een trapoverloop tegenover een groot raam benut om er een werktafel neer te zetten.

In dit Londense appartement, ontworpen door Simon Conder, scheiden een stellingkast en een werktafel de trap van de kamer en fungeren zo als een geïmproviseerde werkruimte.

Het soort materiaal dat wordt gebruikt (aantekeningen-schrift of compu-ter, aquarellen of scanner) is niet alleen bepalend voor het defini-tieve uiterlijk van de werkkamer, maar bepaalt ook de opstelling van de tafel ten opzichte van de muren en de verlichting.

Het karakter en de leeftijd van de gebruiker bepalen onvermijdelijk de inrichting van de werkkamer. Zo ook verschijnen er, naargelang de gebruiksfrequentie, wel of geen meubels zoals stellingkasten, werkbladen en ladenkasten.

Ensemble van tafel en stoel

Om te studeren is weinig meer nodig dan een stoel, een tafel en een goede indeling. Kantoormeubilair dat in de huiselijke ruimten wordt neergezet, kan problemen geven wat betreft esthetiek en sfeer.

H2O-systeem voor Bulo ontworpen door Bataille & Ibens. Het systeem is inclusief de fauteuil, de tafel en de boekenplank. (rechts)

Bijzondere werkruimte van de architect Enric Miralles. De tafel is op maat gemaakt, de stoel is van Charles Eames. Geproduceerd door Vitra.

Tafel en stoel van de firma Stua. De tafel *Milano* is een design van Jesús Gasca, de stoel *Egoa* is van Josep Mora.

Twee meubelstukken van Vico
Magistretti voor E. De Padova:
de stoel *Silver* en de tafel *Shine*.

Studeerruimte van het huis S, ontworpen door
Toyo Ito voor een kunstenaarsechtpaar. De stoelen
zijn van Fritz Hansen, model Campus, uitgevoerd
door Peter Hiort-Lorensen en Johannes Foersom.

Studeerruimte in een huis in Yokohama
ontworpen door Kazuo Shinohara, waarin
het bijzondere meubilair opvalt.

Meubilair voor werkruimten, van Pier
Antonio Bonacina, en stoel Miss.

Rechtsboven. Uitschuifbare
tafel *Stilt* van Cozza &
Mascheroni en stoel *Zip*
van Maran, beide
geproduceerd voor Desalto.

Rechtsonder. Tafel *Helsinki*
van Caronni & Bonanomi,
eveneens voor Desalto.

Tussen de boeken

De mogelijkheid een kamer exclusief aan een bibliotheek te wijden, is tegenwoordig een luxe. Er kunnen echter wel bepaalde hoeken in het huis met boeken worden opgevuld, wat deze tot interessantere, rijkere ruimten omvormt.

In deze twee werkruimten staat de grootste stellingkast precies achter de werktafel.

In dit Milaneze appartement, gerenoveerd door Franco Raggi, scheidt een op maat gemaakte stellingkast de zitkamer van een kleine ruimte vol boeken. Raggi speelt met het dradenkruis van de stellingkasten alsof het om stramienen gaat die boven elkaar zijn geplaatst.

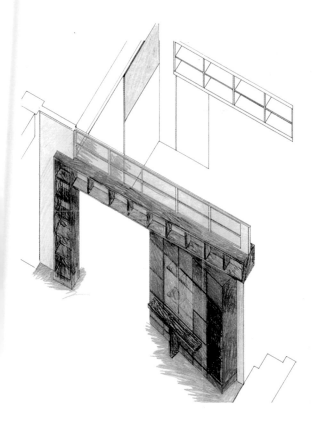

In deze werkruimte staat
de bekende, diepe fauteuil
van Charles Eames centraal.

In deze dubbelhoge zitkamer reikt de stellingkast niet tot het plafond. Desalniettemin blijven de bovenste legplanken leeg of gereserveerd voor boeken die minder worden geraadpleegd.

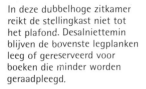

Een boekenkast zonder buitensporige orde geeft blijk van een alledaagser gebruik dan een waarvan de boeken netjes staan opgesteld. Daarom is het raadzamer de boeken op onderwerp of auteur te ordenen of simpelweg niet te ordenen, dan ze op grootte of kleur te rangschikken.

In de uiteinden van deze twee serres staan twee stellingkasten die een ruimte die normaliter weinig wordt gebruikt, omvormt tot buitengewoon verlichte, zeer aangename werkruimte.

Thuis werken

Dankzij de ontwikkeling van de telecommunicatie kunnen steeds meer mensen in hun eigen huis werken. Deze verandering van gewoonten vraagt om een transformatie van de woonruimte.

Thuis werken betekent dat men over een onafhankelijke ruimte moet beschikken die het intieme karakter van de rest van de woning niet verstoort en werkbezoek toelaat.

Buitengewone werkruimte met uitzicht op de
Noordzee in dit huis op het schiereiland Jutland
(Denemarken), gebouwd door Torsten Thorup en
Claus Bonderup. De bijzetstoelen zijn vervangen
door een krukje dat door dezelfde architecten is
ontworpen en door Rapsel op de markt is gebracht.

Landelijke werkruimte in San Diego, ontworpen door
Jeanne McCallum. Als materiaal wordt er bijna alleen hout
gebruikt: frame, raamkozijnen, meubilair, plafond, etc.

De schrijftafel van Jaume Tresserra

Jaume Tressarra werkt altijd met materialen van een hoge kwaliteit, met name notenhout met natuurlijke, met de hand aangebrachte vernisafwerkingen en messing puntelementen. De eenvoud van zijn stukken, in overtuigende, geometrische vormen, bestaat uit zeer subtiele details die het algemene beeld een andere aanblik weten te geven. Achter de ogenschijnlijke eenvoud, bevindt zich een wereld van buitengewone elementen die een oneindig aantal semi-occulte mogelijkheden onthult: elke geste, elk detail, elke behoefte is bestudeerd en op de juiste manier opgelost.

Schrijfmeubel *Samura.*

Tafel *Nobel.*

Tafel *Paralelas.*

Bureaukastjes voor
een kantoorruimte.

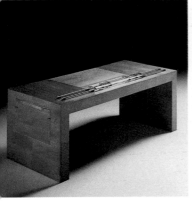

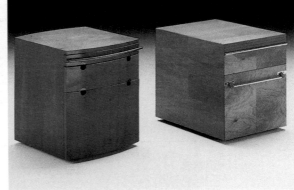

Bureaulampen

Lamp van Adolf Loos (1910).
Geproduceerd door B.d.

Lamp van Josef Hoffmann (1903).
Geproduceerd door B.d.

Marie van Jorge Pensi voor Blux.

Capalonga (1982) van Tobia Scarpa voor Flos.

JL 2P (1997) van Juka Leiviskä voor Artek.

Costanza van Paolo Rizzatto voor
Luceplan.

Open SM van Josep Magem
voor Acord Disegna.

Pierrot van Tobia Scarpa voor Flos.

Taps van Jorge Pensi voor Blux.

HIpotensa (1976) van Achille Castiglioni. Geproduceerd door Flos.

Ara van Philippe Stark voor Flos.

Tango van Stephen Copeland voor Flos.

Ketupa van Josep Lluscà voor Blauet.

Titos van Massimo Baldi voor Effetto Luce.

Kantoorstoelen

Solo. Josep Lluscà.

Sara. Sergi en Oscar Devesa.

Eina. Josep Lluscà.

BCN. Josep Lluscà.   Liona. Gemma Bernal en Ramon Isern.

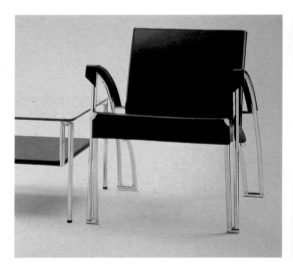

Fauteuil *Bravo*. Sergi en Oscar Devesa.   *Kadira*. B.d.

Global. Josep Lluscà.

Bulo.

Demo. Calligaris.

Bulo.

Stoel Visiteur. Bulo.

N.Y. Calligaris.

Convention. Calligaris.

X. Pep Bonet

Bitmap. Calligaris.

Doble X. Oscar Tusquets.

Bitmap. Calligaris.

Project. Calligaris.

Bureaus

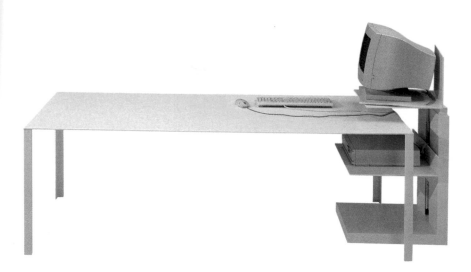

Less. Jean Nouvel.

Basellone. A. Castiglioni. (links)

H2O for Claire – Bulo.

Ten circular. Gabriel Teixidó.

Neutra. Gabriel Teixidó.

Ten. Gabriel Teixidó.

Gazel. Mateo Grassi.

Boekenkast/tafel. Lluis Clotet.

Programa Global. Mario Ruiz.

Programa Global. Mario Ruiz.

Nobel. Jaume Tressarra.

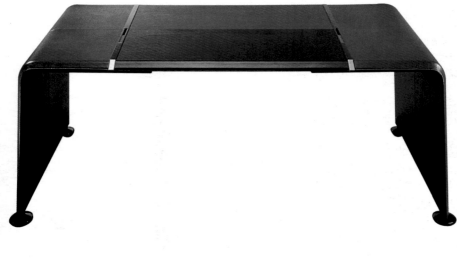

Legend 102. Mateo Grassi.

Slaapkamers

De slaapkamer is uiteraard bedoeld om er te slapen, maar kan ook worden gebruikt als ruimte waar kleding opgeborgen wordt en waar we ons aankleden en opmaken. Soms zijn er in de slaapkamer ruimten bestemd voor ontspanning of is er een werkplek ingericht. Omdat het om een kamer gaat met verschillende ruimten, is het essentieel het juiste meubilair te kiezen en deze op de juiste wijze neer te zetten.

De traditionele tweepersoonsslaapkamer heeft met de jaren dezelfde veranderingen ondergaan als de veranderingen die het moderne leven heeft ingevoerd in het samenwonen, dat wil zeggen, in de verhoudingen tussen man en vrouw. Het is erg prettig wanneer beiden over voldoende, eigen ruimte in de kamer kunnen beschiken. Zo is het bijvoorbeeld praktisch als de kasten en stellingkasten groot genoeg zijn voor een eigen ruimte voor beide bewoners.

Het bed is het belangrijkste meubel van de slaapkamer. Daarom moet dit het eerst neergezet worden. Het bed staat tegenover de deur, met het voeteneinde naar de deur gericht en het hoofdeinde tegen de muur. Het is niet voor niets dat we het op deze wijze neerzetten; het voordeel is dat we vanaf het bed de toegang tot de kamer kunnen overzien. Indien het om een tweepersoonsslaapkamer gaat, is het ideaal wanneer we van beide kanten in bed kunnen komen, wat de opstelling ervan aan voorwaarden bindt. Als het om een enkel of twee eenpersoonsbedden gaat, kunnen deze tegen de muur worden gezet. Het verdient de voorkeur het bed niet onder het raam te plaatsen. We moeten er juist voor zorgen dat het er altijd zo ver mogelijk vandaan staat, om winterse kou en zomerse luchtstromen te voorkomen. Als het bed tegen de muur staat, is het beter dat het een binnenmuur betreft, omdat deze warmer en droger is. Een van de meest praktische oplossingen is het bed uit te rusten met een beddenplank, in plaats van een hoofdsteun, zodat je hierop allerlei persoonlijke voorwerpen kunt neerzetten.

De kast bepaalt uiteraard eveneens de ruimte. Als het om één enkel bed gaat, is het beter de kast tegen de muur tegenover het hoofdeinde te plaatsen;

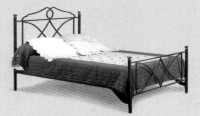

op deze manier staat elk van deze meubelstukken aan beide zijden van de kamer. Als het om twee eenpersoonsbedden gaat, zijn er meerdere variaties mogelijk, maar er ontstaan dan ook meer ruimtelijke problemen. Het is raadzaam een kast te kiezen die geschikt is voor de ruimte, om niet in een situatie terecht te komen waarin we ons allemaal wel eens bevonden hebben, namelijk dat de kast de kamer volledig overheerst en de rust van de slaapkamer doorbreekt. Als we kiezen voor een inbouwkast, moeten we ervoor zorgen dat deze tot het plafond reikt; er zijn weinig zaken die de verhoudingen in een kamer zo bederven als een lelijk gat tussen het bovenste deel van een kast en het plafond, afgezien van het feit dat het een onnodig verlies van ruimte betekent.

We hebben gezien dat alles om het bed draait, met op de tweede plaats de kast, vanwege de omvang. Een ander basiselement is het nachttafeltje of een gelijksoortig element, waarop een wekker, asbak of radio kunnen worden geplaatst; evenals een lamp en een stoel.

De zaak compliceert zich wanneer de kamer meerdere, andere functies vervult. Er zijn woningen waar deze fungeert als tweede zitkamer of werkkamer. In enkele gevallen zijn deze slaapkamers uitermate compleet uitgerust: schrijftafel, fauteuils, bankstel, lampen, opbergmeubelen voor allerlei voorwerpen (multomappen, archiefmappen, banden, naaimachine), boekenplanken, legplanken voor de televisie en de muziekapparatuur, wat fitnessapparatuur, etc. Er kan net zoveel meubilair staan als men zelf wil, alles hangt af van de smaak en de persoonlijke gewoonten.

Meestal bepalen de afmetingen van de kamer de manier waarop die wordt ingericht. De meeste slaapkamers zijn klein en moeten zorgvuldig ingericht worden indien men wil dat er meer dan alleen een bed, een nachtkastje, een klerenkast en een stoel in komen te staan. Wat we in ieder geval moeten weten, is hoe we optimaal gebruik maken van de beschikbare ruimte.

Om de slaapkamer praktisch te maken, kan men het best specifieke delen creëren en zorgen voor een hoekje voor elk doeleinde, zodat de ene activiteit de andere niet in de weg staat. Vooral als we veel tijd in de kamer moeten doorbrengen, is dit een belangrijk punt. Om de ruimteproblemen te beperken, kunnen de nieuwe technieken en de moderne ontwerpen in sommige gevallen magnifieke oplossingen bieden. Er zijn multifunctionele meubelen, die uit elementen bestaan die naargelang de eisen op verschillende wijzen kunnen worden gecombineerd en die apart zijn aan te schaffen.

Suites

Het idee een badkamer in de slaapkamer te
introduceren weerspiegelt het gevoel van
intimiteit dat we deze twee kamers toekennen.
De privacy van het geheel enerzijds en het
comfort anderzijds, maken de slaapkamer een
persoonlijke en unieke ruimte. De eenheid tussen
slaapkamer en badkamer kan ver doorgevoerd
worden als we rekening houden met kleurgebruik
en details die de twee ruimtes een gemeen-
schappelijk interieur geven.

De stellingkast die als schuifdeur
is geïnstalleerd, dient ter
scheiding van het badkamerdeel
en de slaapkamer. (rechts)

De blauwe gresafwerking van
deze badkamer combineert goed
met de verschillende tinten van
de elementen in de slaapkamer.

De glazen elementen vormen
de basis voor deze badkamer
en contrasteren met de warme
tonen in de slaapkamer.

Combinaties met wit

Het gebruik van de kleur wit op muren, meubelen en stoffen is een klassiek element dat past in elk interieur. Bovendien maakt wit het interieur lichter en ruimer. Verschillende soorten witte stoffen en details versterken het gevoel van rust en ontspanning in de slaapkamer, zonder een rommelige indruk te geven.

Blauw en wit, een klassieke combinatie voor deze slaapkamer met een maritiem karakter.

Deze ruime, schone slaapkamer maakt optimaal gebruik van het natuurlijk licht dat door een klein raampje binnenvalt.

Eenvoudig ensemble waarin het bed met baldakijn, dat classicisme en moderniteit combineert, overheerst. (rechts)

Het avant-gardistische karakter van deze slaapkamer wordt benadrukt door een muur vol ronde spiegels.

De eenvoud van het ontwerp van het hoofdeinde van dit bed en de combinatie van de wittinten met het hout versterken het gevoel van comfort.

Het ontbreken van kleur in deze slaapkamer wordt gecompenseerd door het warme hout op de vloer.

Een slaapkamer stofferen

Er zijn talrijke mogelijkheden om een slaapkamer te stofferen. De verschillende producten
die op de markt verkrijgbaar zijn zoals stoffen
afwerkingen, diverse stoffen, tinten en
opdrukken, vertalen zich in een oneindig
aantal mogelijke combinaties. Kussens,
overgordijnen en beddengoed, het zijn de
traditionele elementen waaraan beklede
hoofdeinden en voetenbankjes of fauteuils
worden toegevoegd. De keuze van de tinten
van deze voorwerpen is afhankelijk van het
karakter van de slaapkamer. Warme kleuren
in combinatie met hout en lichtgekleurde
klassieke stoffen voor traditionele
slaapkamers, etc.

Combinatie van
kussens die alle tinten
in deze slaapkamer
weerspiegelt.

Slaapkamer met bekleed
hoofdeinde. De kleur van de
stof combineert met de oker-
en roodtinten van het geheel.

Klassieke slaapkamer waarin de kussens
van het hoofdeinde bekleed zijn met
dezelfde stof als de bankjes aan het
voeteneinde van het bed.

Het bed, naast
een origineel
nachtkastje,
is een
weerspiegeling
van alle
omringende
tinten.

Het warme
karakter van deze
slaapkamer wordt
benadrukt door
het scala aan
roodtinten van
de gordijnen en
het vloerkleed.

Romantische stijl met witte overgordijnen en bekleding, die het natuurlijke licht weerspiegelen.

Door het naar buiten gebogen
glaswerk, kan het bed over
de tuin uitkijken. (rechts)

Bij een raam

Naast het bed is het raam het
andere middelpunt van de
kamer. Hierdoor valt het
natuurlijke licht de kamer
binnen en geeft het geheel
een zachtere, rustigere sfeer.
Door het bed zodanig op te
stellen dat het landschap
buiten zichtbaar is en het
hoofdeinde van direct licht
wordt afgeschermd, wordt het
contact met buiten bepalend
voor een betere rust.

De achterwand, die het hoofdeinde
van het bed beschermt, geeft
deze slaapkamer met meerdere
lichtpunten een bijzonder karakter.

Slaapkamer in de vorm van een wig in
Villa Zapu. De originele structuur zorgt
voor volledig contact met de buitenwereld.

De kamers in deze woning liggen rondom een binnenplaats. De tegenovergestelde ramen vormen een origineel, verrassend decoratiemotief. (rechts)

Onder een groot raam wordt de horizontale vorm benut om een hoofdeinde te verruimen.

De directe toegang tot de tuin staat centraal in deze slaapkamer met eenvoudige lijnen.

Hout in de slaapkamer

Hout past zich aan elke mode en stijl aan en weet steeds het warme, comfortabele karakter te behouden. Het traditionele gebruik van hout in interieurs neemt toe door gebruik van parketvloeren en plafonds waarin de oorspronkelijke structuur en kleur van het hout zichtbaar blijft. Lichtgekleurde, exotische houtsoorten met een flexibiliteit waarmee elk ontwerp kan worden gecreëerd, maken plaats voor een eenvoudigere, zuivere stijl.

Interieur van een houten hut, maximale warmte in een minimale uiting.

Meubilair met de witte achterwand in combinatie met de stoffering van het hoofdeinde en de fauteuil.

Eenvoudige, avantgardistische vormen en houten design voor deze bedstructuur. (rechts)

Het kozijn van de tuindeur heeft natuurlijke tinten om deze slaapkamer een klassieke stijl te geven. (rechts)

De grove structuur van het hoofdeinde is de basis voor het bed en de nachtkastjes en creërt zo een ruimte met constante, horizontale lijnen, volledig in hout uitgevoerd.

De stoel *Jacobsen*, referentiepunt vanwaaruit het spel van houttinten te zien is.

Metaalconstructies

De klassieke esthetiek van dit bed met baldakijn past perfect bij de moderne stijl van de slaapkamer. Creatie van Pepita Teixidó en Xavier Sust.

Bedframes van metaal zijn eveneens naar meer hedendaagse concepten ontwikkeld. De uitvoering van eenvoudigere ontwerpen, door de combinatie met andere materialen en de kleuring van het metaal, geven dit soort slaapkamers nieuwe kracht. Desondanks blijft de klassieke component aanwezig in de ornamenten van de meeste ontwerpen.

Model *Cleopâtre* voor Roche-Bobois, in blauw. De toevoeging van kleur aan metalen bedden vergroot de eenheid in welke kamer dan ook.

Modellen van Cantari.

Twee eenpersoonsbedden vormen samen
dit originele ontwerp, uitgevoerd in een
combinatie van metaal en griendhout.
Mezzaluna voor Cantari.

Een eenvoudige, houten balk is
voldoende om het traditionele
bed met spijlen te moderniseren.
Model *Geo* van Cantari.

Bed met baldakijn
Model *Lexington.* Van
Potterybarn.

Detail van het
ornament van het
voeteinde van het bed.
Model *Ambra* van Cantari.

Model *Ambra* van Cantari. Een
licht ornament, met porseleinen
afwerking, geeft eenvoud en
elegantie aan het geheel.

Model *Mezzaluna*,
met de twee
bedden gescheiden.

In romantische stijl

In de romantische stijl gebruiken we dezelfde elementen als bij een klassiek interieur. We volgen nu geen leidraad voor een vaste stijl, maar combineren diverse stijlen voor een landelijke, classicistische sfeer. Combineer antieke meubelen met overgordijnen en geef alles nieuwe tinten en afwerkingen.

Tweepersoonsslaapkamer in Provençaalse stijl. De kleur van de muur krijgt een speciale behandeling teneinde een betere eenheid te vinden met de lichte kleuren van het meubilair.

In tegenstelling tot de strikt klassieke slaapkamer, laat de romantische slaapkamer moderne en technische elementen toe, zoals eenvoudig gevormde halogeenlampen.

Het strakke wit van de bekleding versterkt het contrast met de muren en de overgordijnen in deze slaapkamer. (rechts)

Het kleurcontrast tussen
het donkere hout en de
witte stoffen weerspiegelt
zich in het gekleurde
behang op de muur.

Zonder een bepaalde klassieke stijl te volgen, creëert deze combinatie van KA Interational een eigen karakter door de kleur tot het belangrijkste element te maken.

Een stijlelement kan de slaapkamer een bijzonder romantisch karakter geven. Een rieten stoel naast een bed met witte lakens, twee details geladen met een esthetische betekenis.

Oriëntaalse invloed

Dit bed staat naast een raam op een houten tatami. De kracht van de warme materialen maakt van het geheel een zeer comfortabele kamer. (links)

Een ruimte waarin lijnen ononderbroken stromen, is de puurste uiting van het slaapkamerconcept. Rust en slaap zijn de doeleinden van een interieur waarin weinig meubelstukken het geheel in harmonie brengen om de zintuigen te ontspannen. Bloemen, tatami's en futons zorgen voor een decoratieve stijl die zich baseert op een bijzondere comfort-filosofie.

De eenvoud van een bed op de vloer contrasteert met de kracht van het levendige hout in een architectuur van Anderson & Schwarz.

De traditionele deur van papier produceert enkele interessante lichteffecten op de natuurlijke kleuren van dit design van Akira Sakamoto voor de *Hakuei Residence*. (links)

De pure vormen en de decoratieve eenvoud die de oriëntaalse stijl definiëren, geven deze ruimte een bijzondere persoonlijkheid. *Bergadà House*, Tonet Sunyer.

In deze slaapkamer waarin het bed naar het raam is gericht en naast een theetafeltje staat, lijkt ontspanning een mystieke oefening te worden.

Op zoek naar de maximale eenvoud blijven de architectonische elementen zichtbaar en structureren ze dit interieur. *Blades House*, California.

Minimalistisch ontwerp

De criteria van een goed ontwerp, zijn talrijk en soms tegenstrijdig, maar een algemeen geldend punt is eenvoud. De ontwerper blijft steeds zoeken naar heldere ruimten, lichte tinten en meubelen. Maximale eenvoud van lijnen en vormen zodat de meubels steeds weer opvallend simpel zijn, zonder overdadige versieringen, zijn de basiskenmerken van slaapkamers die simpelweg voor de rust zijn ontworpen.

De grote ramen en de indrukwekkende dwarsbalk die aan de industriële achtergrond van de ruimte herinnert, zijn meer dan voldoende om deze slaapkamer te decoreren. (rechts)

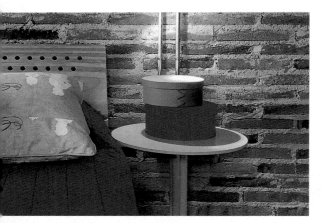

Het hoofdeinde is versierd met een lichte kromming die het bed comfortabeler en tegelijkertijd functioneler maakt.

Parallel met de muur opgesteld, suggereert de functionele esthetiek van deze kast een grote, interne capaciteit waardoor de ruimte maximaal wordt benut.

Lijn voorgesteld door Galli
voor een slaapkamer bedacht
voor de nachtelijke uurtjes.
Het contrast tussen de
houttinten en het wit
creëert een ontspannende,
lichtgevende ruimte.

Eenvoud, ten gevolge
van het ontbreken van
meubilair, staat centraal
in deze ruimte.

De minimalistische trekken
geven dit ontwerp van Piero
Lissoni een tijdloos en zeer
bijzonder karakter.

De hoofdslaapkamer van het huis Lawson-West, ontworpen door Eric Owen Moss, wordt bepaald door een lange opening in het dak. (rechts)

Paneel van gelaagd cederhout met vernislaag. De eenvoud van *Little Nemo* van Mireia Riera baseert de volledige inrichting op deze constructie.

Jordi Romeu tekent voor dit ontwerp, *Lolita* genaamd. Eenvoud en functionaliteit in een hoofdeinde dat tegen de muur is opgesteld.

Aan het voeteneinde

De veelzijdigheid van meubelstukken die aan het voeteneinde van een bed worden
geplaatst, heeft ertoe geleid
dat ze steeds vaker worden
gebruikt. Daarbij zijn deze
meubelen veranderd in comfortabele, esthetische voorwerpen.
Uitgevoerd in hout of metaal,
nemen ze de belangrijkste
plaats in vanwege hun
strategische positie.

Combinatie uitgevoerd door
Laura Ashley. Het aanwezige,
gestoffeerde bankje luistert de
romantische persoonlijkheid
van het geheel op.

De metalen structuur van
de stoelen, in dezelfde stijl
als de nachtkastjes, is een
modern detail in deze
slaapkamer.

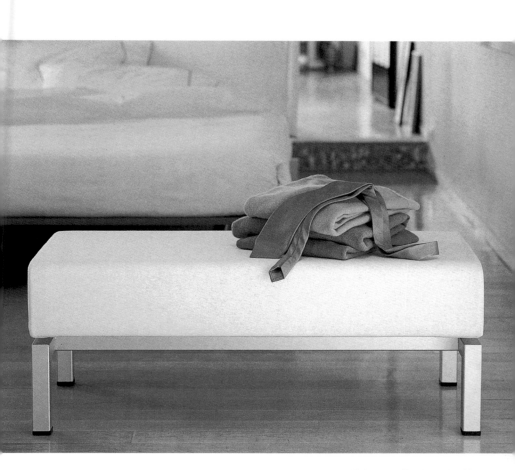

Klein, gestoffeerd, wit bankje
dat dicht bij het bed staat voor
een grotere functionaliteit.

Bankje *Istanbul* van KA International. De bekleding is uit de context van het geheel gehaald en verandert de persoonlijkheid van dit element volledig.

Combinatie in blauw en wit van KA International. De klassieke structuur van het bankje contrasteert met een modernere bekleding. (rechts)

Dit geheel van KA International, dat op basis van drie basistinten -hout, wit en grijs- is ontworpen, biedt een zeer schone, ruime visie.

Een perfecte opstelling

Deze vestiaires vormen stuk
voor stuk een geheel. Dit is het
resultaat van totale ordening
van de details, de meubelen
en de verlichting. Er kunnen
gemakkelijk kledingstukken op
de lage tafels, kasten en stoelen
gelegd worden, zonder dat deze
hun vorm verliezen.

Deze combinatie van Porada is
een evenwichtige, esthetische
opbergoplossing met
onverwacht veel capaciteit.

Met de veelzijdigheid van lage
meubelen kan het interieur van
de vestiaire naar elke behoefte
worden ingedeeld en kunnen
de onderdelen zorgvuldig
worden gerangschikt.

Zonder de gehele vestiaire aan
het zicht te onttrekken, zal het
licht gedeelten van de vestiaire
opluisteren en deze een
persoonlijk accent geven.
(rechts)

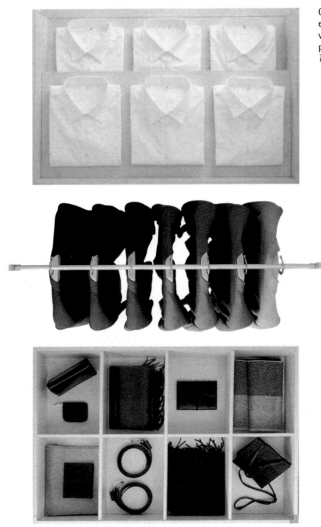

Opbergmeubelen, zoals laden en kleerhangers zijn hier vanuit een bijzonder perspectief ontworpen. *Tissetanto*

Door kleding op te hangen in bijpassende kleuren, wordt de vestiaire een uiting van eenvoudige vormen en zuivere esthetiek. (rechts)

De indeling van legplanken en
kleerhangers moet aan de
praktische behoeften voldoen
en ervoor te zorgen dat de
kleding tot haar recht komt.
(rechts)

Ruime vestiaires

Deze ruimten, die ontworpen zijn
om er kleding en andere voorwerpen in op te bergen, veranderen
een kamer in een grote kast.
Omdat ze een onafhankelijk
gedeelte van de slaapkamer zijn,
kunnen er stoelen, spiegels en
andere elementen worden neergezet.
Deze meubelen vergroten het
comfort en geven het geheel
persoonlijkheid.

Combinatie *Night Mobil*
van Girgi. Het donkere
hout van de laden is hier
vervangen door
lichtgekeurde dozen. Het
is een stijlvolle oplossing
voor het probleem van
een te donkere ruimte.

Door alle elementen tegen de
muur te plaatsen, ontstaat een
middenruimte die geschikt is voor
kleine meubelen en zitplaatsen.

Helderheid neemt een belangrijke plaats in, in deze combinatie van Tissetanto. De vestiaire is ingedeeld op basis van de tinten van de kleding en de stoffen.

Het belang van de details die deze combinatie rondom het middenbankje indeelt, is groot.

Detail van een broekenhouderlade. Dit type oplossingen combineert esthetiek en functionaliteit en zorgt voor een lichter interieur. (rechts)

Een vestiaire in de kast

Vestiaires zijn ontworpen op basis van een kaststructuur. Door de toenemende diepte van deze kasten ontstaat een comfortabele ruimte waar men zich kan omkleden. De binnenindeling van deze vestiaires, die meestal in een hoek van de slaapkamer worden geïnstalleerd, laat de aanwezigheid van een stoel of een klein meubel toe en geeft het interieur op deze wijze een eigen stijl.

Kleine ruimten vereisen een goede interieurverdeling teneinde niet aan functionaliteit in te boeten.

Door zeer zuivere esthetiek suggereert deze combinatie van de collectie *Space* van Move, het karakter van deze vestiaire dankzij enkele glazen deuren.

Door de vestiaire als een geïntegreerd deel van de slaapkamer in te richten en de buitenkant van de kleerkast het uiterlijk van een kast te geven, verdwijnt het gevoel van doorgang tussen de twee ruimten

Kleerkast van Besana, geïnstalleerd in de hoek van de kast uit dezelfde collectie. De heldere kleuren vergroten het gevoel van licht.

Vestiaire-kast van de serie + *Proteo* van Vibrio. Sobere combinatie uitgevoerd in donkere houtsoorten die met de lichte interieur-afwerking contrasteren.

De eenvoud van het ontwerp en de afwerkingen in deze combinatie voor Move, integreert het zuivere interieur in de minimalistische stijl van de slaapkamer.

Kast, type *closet*. (rechts)

Kasten met doorzichtige deuren

De esthetische mogelijkheden die transparante deuren bieden, ontnemen de kast het traditionele beeld van sober vierkant. Zuurbehandelingen en combinaties van kleuren en houtsoorten creëren nieuwe mogelijkheden tot combinatie met de andere elementen uit de slaapkamer.

Collectie *Morgante I* van de Italiaanse designer Paolo Piva. Doordat het ontwerp uit losse onderdelen bestaat, is het volledig op elke muur aan te passen. Daarbij kunnen de combinatiemogelijkheden met hout en glas variëren.

Door het creëren van een ruime binnenruimte, ontstaat in deze kleerkast een structuur op basis van het interieur van de slaapkamer. De ruimte wordt door enkele geglaceerde deuren afgesloten.

Dit model, een design van Dell'Orto, is volledig transparant en is uitgerust met een doordachte binnenverlichting. Zo krijgt het ontwerp een eigen persoonlijkheid op basis van enkele eenvoudige, geometrische lijnen.

Door wit te combineren met de subtiele afwerking van het glas, krijgt dit ontwerp uit de collectie *Levante* van de firma Mobil Girgi een volledig minimalistische afwerking.

Kast Millepunti, uitgevoerd in aluminium en glas, van de firma Move. De buitenkant is volledig in de muur geïntegreerd en suggereert de aanwezigheid van een terrasdeur.

Serie *Drive* van Besana. Door een geheel te vormen met het beklede bankje dat ervoor staat, combineert de kast crème- en bruintinten. Zo wordt het geheel op een eenvoudige manier afgewerkt.

Witte voorzijde

Een kast lijkt minder groot wanneer gekozen wordt voor een witte voorzijde. Deze afwerking is functioneel en esthetisch en past perfect in alle interieurs, zelfs in minimalistisch ingerichte ruimten.

Detail van de binnenkant van de kast van de firma Poliform. De schuifdeuren hebben een bijzondere structuur en verhullen het kogellagersysteem.

De functionele esthetiek van deze kast, die parallel tegen de muur is geplaatst, suggereert een grote, interne capaciteit.

Poliform presenteert deze kast
die bestaat uit grote, witte
panelen met een profiel van
natuurlijke houttinten.

De veelzijdigheid van dit ontwerp uit de serie *Todi* voor het merk Mobil Girgi, domineert de kamer op basis van een muurkastconstructie. De rechthoekige vormen wekken de illusie van een venster en passen in elk interieur.

Bijzonder design van Irene Puorto voor de serie *Oceano* van de firma Galli. De eenvoudige lijnen en de pure kleurencombinaties maken dit ontwerp een uiting van stijl en functionaliteit.
(rechts)

Bijzonder design van Irene Puorto voor de serie *Oceano* van de firma Galli. De eenvoudige lijnen en de pure kleurcombinaties maken dit ontwerp tot een uiting van stijl en functionaliteit.

Detail van het interieur van de serie *XL* van Tisettanta.

Collectie *Quotidiano* van Mobil Girgi. Een perfecte interieur-verdeling versterkt het functionele karakter van deze sobere kast die volledig in wit is uitgevoerd.

Kast uit de serie *XL* van
Tisettanta. De eenvoud
van de drie witte
panelen krijgt een
eigen stijl dankzij het
ontwerpdetail van het
handvat, wat een zeer
elegante afwerking
geeft.

Detail van het
geïntegreerde handvat,
in eenvoudige vormen
en natuurlijke tinten.

De modeontwerper
Toni Miró is de
inspiratiebron voor
deze kast van Pep
Bonet. De deuren
zijn vervangen
door vierkante
overgordijnen wat
een zeer elegante
afwerking geeft.

Dit model, dat door
het merk Brivio is
gemaakt en deel
uitmaakt van de
serie *Sistema*,
minimaliseert de
details en profileert
zich als een
continuering van
de in hout
uitgevoerde muur.

Modernisering van een klassieker

Het idee van een kast als opbergmeubel voor kleding, dat in de kamer werd opgesteld als een zware constructie die de inrichting aan voorwaarden bond, heeft zich ontwikkeld tot een benadering van discretie, waarbij het de kunst is het meubelstuk te integreren met de andere elementen in de slaapkamer.

Serie *Levante* van Mobil Girgi. De horizontale lijnen die de natuurlijke nerven van het hout suggereren, contrasteren met de oorspronkelijke, verticale lijn van de kast, wat een evenwichtiger beeld geeft.

Model *FTS Fortuna* uitgevoerd in natuurlijk hout en metaal. In het originele verlichtingssysteem is elk dubbel deel van de kast voorzien van een halogeenlamp.

De decoratie van deze kast, in klassieke lijnen, doet aan architectuur denken en suggereert een rationele indeling van het interieur.

Opbergruimte onder het matras

De veelzijdigheid van een slaapkamermeubel wordt bepaald door verstandig gebruik van de beschikbare ruimte. Volgens dit criterium worden bedconstructies ontworpen waarmee de gehele ruimte die ze innemen, kan worden benut. Zonder aan esthetiek in te boeten, zijn deze bedden een voorbeeld van functionaliteit en comfort. De bruikbaarheid van de constructie en dus het gemak waarmee men onder het matras kan komen, zal bepalend zijn voor het dagelijks gebruik.

Model *Todi* van Mobil Girgi. Veelzijdigheid contrasteert met eenvoud in deze moderne uitvoering van de romantische bedden van metaal.

Detail van het model *Tristano* van Poliform, in open toestand. Doordat het systeem zich vanaf het hoofdeinde opent, worden dode en ontoegankelijke hoeken voorkomen.

Poliform creëert het bed *Tristano* volgens enkele eenvoudige, esthetische criteria. De afwerking verhult het sluitsysteem van de ruimte eronder en verhult volledig de dubbele functie van de constructie.

Moderne combinatie waarin het wit van de bedstructuur contrasteert met de kersenhouten kleur van de nachtkastjes. Ensemble uit de serie *Art* voor de Italiaanse firma Galli.

Dubbel gebruik

De tweede slaapkamer, die meestal wordt gebruikt als logeerkamer, wordt vaak volgens enkele functionele richtlijnen ingericht. De stijldetails zullen de basis vormen voor een subtiele inrichting en een esthetiek die zich op comfort baseert.

Deze combinatie is een originele oplossing voor de verschillende mogelijke verhoudingen tussen de slapers. De bedden kunnen uit elkaar geschoven worden, waarbij het hoofdeinde meeschuift als een zogenaamde schuifdeur voor de kastjes achter het bed. (onder)

Tweepersoonsslaapkamer uit de serie *Duplex*, uitgevoerd op basis van elliptische buizen van plaatstaal. Ontwerp van Gabriel Teixidó voor Enea. (boven)

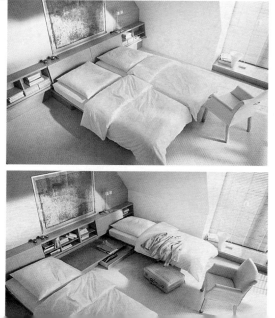

Twee grote klassieke bedden
uitgevoerd in metaal contrasteren
met de eenvoud van lijnen in de
kamer en geven het een zeer eigen,
romantisch karakter.

Originele oplossingen

Deze vestiaires in zuivere esthetiek en eenvoudige vormen uitgevoerd, vallen op doordat ze ruimte maken en uitgaan van een meubelstuk of een architectonisch element zonder dat ze noodzakelijkerwijs perfect begrensd moeten zijn. Het zijn meubelen met een eigen karakter en persoonlijkheid, waarmee in de slaapkamer een vestiaireruimte vol esthetische betekenis kan worden ingericht.

G.V. Plazzogna tekent voor dit design voor de firma Galli. De bijzondere architectuur van het hoofdeinde van het bed bevat een veelzijdig nachtkastje.

Door het hoofdeinde tegen een muur te plaatsen, ontstaat het gevoel dat slaapkamer en vestiaire zich in twee onafhankelijke gedeelten bevinden. Ontwerp van Alvar Guarro voor de firma Matias Guarro.

Door een muur te centreren wordt de slaapkamer gescheiden van de kleedruimte in deze loft op een zolderkamer in Barcelona, uitgevoerd door Pere Cortacans.

Uitgaande van de architectonische structuur van de slaapkamer verandert dit ontwerp de gehele kamer in een ruime vestiaire.

De structuur van deze vestiaire, in de vorm van een gang, wordt versterkt door de originele opstelling van een klassiek archiefmeubel op de plaats van een commode. (rechts)

Kinderkamers

De kinderkamer zal aan veranderingen onderhevig zijn naarmate de kinderen opgroeien. Daarom is het van belang deze in te richten met meubilair dat voldoende flexibel is om meerdere jaren aan hun behoeften te kunnen voldoen. Het is dus duidelijk dat we bij het decoreren en meubileren van een kinderkamer in de toekomst moeten kijken.

Terwijl de ouders voor een babykamer de inrichting volledig kunnen bepalen, zullen we naarmate het kind opgroeit moeten toestaan dat hij of zij steeds meer inbreng krijgt in de inrichting van de kamer. Het kind zal daar namelijk urenlang doorbrengen en moet er zich op zijn gemak voelen.

De babykamer heeft als belangrijkste elementen de wieg, de commode en een babycommode. Het is raadzaam de kamer niet overdadig op te smukken met voorwerpen voor pasgeborenen, mits we over een groot budget beschikken, want wanneer het kind eenmaal opgroeit, zal het al die babyspullen kinderachtig vinden.

Op kleuterleeftijd zal de kinderkamer vele veranderingen ondergaan. Als de kamer zowel als slaap- en speelruimte wordt gebruikt, wat normaal gesproken het geval is, is elke millimeter van belang. De kamer zal heel wat opgeruimder zijn, wanneer er voldoende ruimten zijn waar het speelgoed en de boeken kunnen worden opgeborgen. Voor speelgoed zijn kisten een mogelijke oplossing. Kisten kunnen tevens als zitbankje dienen en als ze in vakken verdeeld zijn, blijven de spullen geordend. Voor de boeken zijn de klassieke legplanken het geschiktst, hoewel deze op handbereik geïnstalleerd moeten worden. Men moet in elk geval de utopie van een perfect geordende kinderkamer loslaten.

Wat de kledingstukken betreft, kunnen we beter voor een hoge kleerkast kiezen, aangezien deze duurzamer is dan een eenvoudige kinderkast. We kunnen ook kiezen voor een commode voor bepaalde kledingstukken, zoals sokken,

T-shirts, etc. Hoogslapers zijn de ideale oplossing wanneer de kinderen wat ouder zijn. Bovendien vormen ze een uitstekend middel om ruimte te besparen, vooral als het om twee kinderen gaat die in een kleine kamer moeten slapen.

Een tienerkamer bevat naast de slaapruimte, ook een ruimte om te studeren, naar muziek te luisteren of met vrienden te kletsen. In deze gevallen is het beter beide ruimten goed te scheiden. Dit kan worden bereikt met decoratieve effecten. Het is raadzaam de tieners te laten meebeslissen bij de inrichting. Ze zouden op zijn minst een aantal mogelijkheden aangeboden moeten krijgen zodat ze het gevoel hebben dat zij de eindbeslissing nemen. Er moet uiteraard een bed staan, en in enkele gevallen een tweede bed voor een vriend of vriendin. Verder zijn een werktafel, met voldoende ruimte voor een computer, minstens één stoel, een plek voor de muziekinstallatie, opbergruimte, en al wat de behoefte en persoonlijke smaak eisen, vereiste spullen in een tienerkamer.

Wat de vloer en de muren betreft moeten we ons laten leiden door onze praktische intuïtie, of het nu gaat om een kamer voor de kleintjes of de grootsten. De vloer moet geschikt zijn om er fijn over te kruipen en, in een later stadium, er een tijd lang te zitten spelen. Tapijten zijn niet praktisch, want hoewel ze zeer mooi zijn, raken ze snel vuil.

We kunnen ervoor kiezen de muren te verven of te behangen. Zowel in het ene geval als in het andere is het belangrijk dat ze makkelijk schoon te maken zijn. We moeten niet vergeten dat kinderen constant met hun speelgoed langs de muren gaan. Ook kladderen ze erop. Het is daarom het ideaalst er met een nieuw verflaagje op tijd bij te zijn of, indien we een voorkeur voor behang hebben, ons ervan te verzekeren dat het om makkelijk schoon te maken behang gaat.

Een goede verlichting is eveneens cruciaal. Naarmate het kind opgroeit, zullen de lichtbehoeften waarschijnlijk ook veranderen. Sfeerverlichting is onontbeerlijk, hetzij door een centrale lamp, of middels enkele wandlampen. Ook is een bureaulamp noodzakelijk, vooral wanneer het kind al een werktafel heeft. Een andere lichtbron moet op het nachtkastje staan, zodat het kind in bed kan lezen. Het zou ideaal zijn als in het vertrek natuurlijk licht binnenvalt. Het kind zal de vreugde, die zonlicht uitstraalt, op prijs stellen. Het is voor het kind ook fijn als niet de kleinste kamer in het huis voor hem of haar is gereserveerd, aangezien met de jaren het aantal functies van de kamer, en derhalve de behoefte aan ruimte, zal toenemen.

Babykamers

De babykamer is een zeer verfijnde, functionele omgeving waarin de meubelconcepten aan andere normen en behandelingen onderhevig zijn. Esthetiek en veiligheid zijn onontbeerlijk om een ontspannen sfeer te creëren.

Design van KA International waarin blauw- en wittinten worden gecombineerd. De klassieke structuur van de metalen wieg staat centraal in een klassieke ruimte.

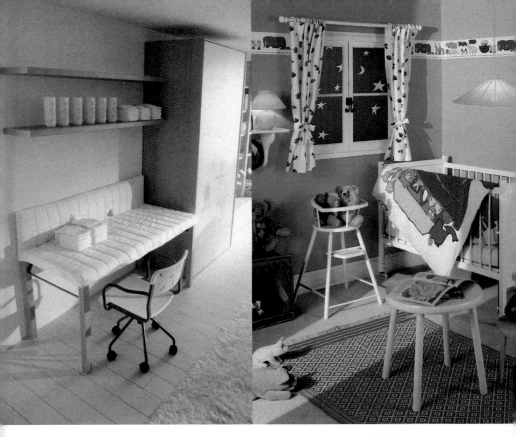

Babycommode van de serie *Maxim* van Galli. Het meubel is uitgevoerd in hout en metaal en heeft de vorm van een schrijftafel, met maximaal comfort en functionaliteit, zonder dat de esthetische betekenis volledig verloren gaat.

Grappige babykamer. De indeling van de ruimte in de kinderkamer is onderworpen aan constante veranderingen en vraagt functionele interieurs. (boven)

Cuna Leo, design van Irene Puorto. De originele structuur, uitgevoerd in hout, brengt in combinatie met een zeer verzorgde esthetiek een gevoel van rationele functionaliteit over.

Interieur van een moderne
kinderkamer. De eenvoud
en de functionaliteit kenmerken
enkele elementen met weinig
gebruikelijke vormen.

Oude, rustieke vormen bepalen deze
kinderkamer. De verbindingspunten van
de dwarsbalken en de muur creëren
een originele ruimte, in de vorm van
een legplank, waar het speelgoed als
decoratie kan worden neergezet.

Door middel
van schuif-
deuren is een
gedeelte van
het huis ge-
schikt gemaakt
als praktisch
speel- en
slaapkamertje.
(links)

Zoet en meisjesachtig

Meisjeskamers, vol details die als decoratie dienen, veranderen vaak in een wereld vol nuances. Met een apart begrip voor elegantie, krijgen de klassieke meubelen zachte tinten en creëren zo een zeer intieme, persoonlijke sfeer.

Beddenset *Daisy Rose* van Laura Ashley, uitgevoerd in roze en wit. Klassieke kleurcombinatie voor een zeer meisjesachtige kinderkamer.

Behang en overgordijnen uit de serie Ballet van Laura Ashley. De thematiek van de inrichting voor meisjeskamers is vaak te vinden in elementen waarmee ze zich makkelijk kunnen identificeren.

Details en nuances zijn de echte centrale elementen in de meisjeskamers. (rechts)

Kasten om alles in te bewaren

De kast is het meest statische element van de
kamer en volgt de architectuur van de muur
op discrete en functionele wijze. Zo heeft het
middendeel in de kamer meer ruimte. De dubbele
functie van vestiaire en opbergruimte voor
speelgoed zorgt ervoor dat dit meubelstuk een
gecompliceerde interieurverdeling heeft. Er is
ruimte voor het kind en voor de moeder.
Bovendien zijn de ruimten apart ingedeeld.

Blauw-groencombinatie, uitgevoerd in hout met een
vernislaag. De kast vormt een individueel element en
verdeelt de kamer in twee delen.

Kast uitgevoerd
in stof en
blauwgeverfd
massief grenen.
De eenvoudige
esthetiek van
dit element
geeft het een
romantisch
karakter.
(boven)

Een andere klassieke mogelijkheid om meer ruimte te verkrijgen in de kamer is een reeks boven het bed geplaatste muurkasten. Deze compositie van Baristtella zoekt, door de combinatie van lichte tinten en hout, een eenvoudige, zuivere esthetiek.

Battisttella tekent voor deze compositie van een inbouwkast in lichte tinten. De functionaliteit van dit type elementen, over de gehele muur opgesteld, zorgt voor een grote, esthetische kracht. (links)

De structuur van de kast in de hoek van de kamer zoekt naar maximale capaciteit en benut de dode hoeken van de kamer.

Maximale capaciteit in een compositie van Battisttella die een boekenkast-constructie creëert op basis van de architectuur van de kast.

Slapen en studeren

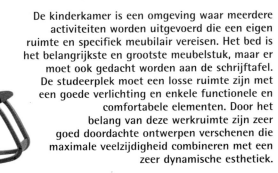

De kinderkamer is een omgeving waar meerdere activiteiten worden uitgevoerd die een eigen ruimte en specifiek meubilair vereisen. Het bed is het belangrijkste en grootste meubelstuk, maar er moet ook gedacht worden aan de schrijftafel. De studeerplek moet een losse ruimte zijn met een goede verlichting en enkele functionele en comfortabele elementen. Door het belang van deze werkruimte zijn zeer goed doordachte ontwerpen verschenen die maximale veelzijdigheid combineren met een zeer dynamische esthetiek.

Originele schrijftafel, volledig uitgevoerd in hout. De functionele structuur combineert met een zeer zuivere esthetiek. (boven)

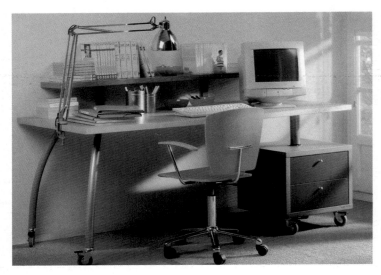

Schrijftafel uitgevoerd in hout en staal, ingedeeld met grote functionaliteit en zeer dynamische esthetiek.

Functionele schrijftafel uitgevoerd in blauw. Dankzij de verticale constructie van de legplanken kunnen boeken neergezet worden zonder de ruimte te overladen. (rechts)

Schrijftafel die ontworpen is op basis van een hoogslaper. De ronde vorm van het blad vergroot de werkruimte met een zeer functionele esthetiek. (links)

Deze veelzijdige schrijftafel kan boven de ladenkast worden neergezet of midden in de kamer naargelang de manier van gebruik.

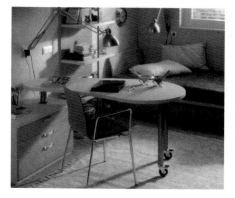

Originele en veelzijdige schrijftafel. Met de structuur van de tafel kan de ruimte maximaal benut worden en een ladenkast onder het uitschuifbare blad worden toegevoegd.

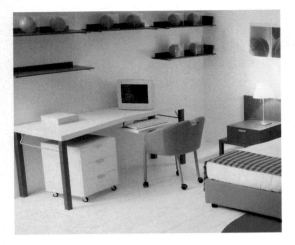

De serie Argento Vivo kiest voor een esthetiek in zuivere en zeer functionele lijnen. De lichte tinten in combinatie met het hout vergroten de helderheid van de ruimte.

In de opstelling in deze kinderkamer is een klassieke tafel onder het raam geplaatst. Het belang van natuurlijk licht in studeerruimten zorgt ervoor dat in veel slaapkamers voor deze inrichting wordt gekozen.

Schrijftafel met boekenkast onder een raam. De klassieke lijnen van het serieuze meubilair nodigen uit tot studeren. (rechts)

Klassieke opstelling van de slaapkamer waarbij de werkplek parallel aan het bed is ingericht. De veelzijdige stellingkast is handig voor de schrijftafel en vormt tegelijkertijd het hoofdeinde van het bed. (links)

Combinatie van Mobil Girgi in een ongedwongen, functionele esthetiek. De studeerelementen creëren twee onafhankelijke gedeelten, een met uitschuifbare tafel en een andere met computermeubel.

Zuivere vormen voor een schrijftafel van de firma Galli. De eenvoudige lijnen en het ontbreken van overvloedige elementen creëren een ruimtelijke helderheid waarin zeer prettig kan worden gestudeerd.

De eerste groeistuipen

De vormen van de slaapkamer worden steeds soberder, hoewel ze een informele, eenvoudige stijl blijven behouden die zich aan de dagelijkse veranderingen probeert aan te passen. (rechts)

Door een informele inrichting te combineren met een in eerste instantie sobere, doch elegante stijl, wordt de kinderkamer een toonbeeld van contrasten die uit de verandering van mentaliteit en de rationalisering van het interieur ontstaat. Men zoekt niet langer een uniforme, decoratieve stijl; de kamer verandert juist in een levendige ruimte vol details die het eigen karakter van de gebruiker van de slaapkamer weerspiegelen.

Bed in nis, uitgevoerd op basis van elliptische buizen van staalplaat. Het model *Duplex* van Enea is ontworpen door Gabriel Teixidó en benut een verfijnde soberheid om zich aan elke sfeer aan te passen.

Eenvoud en comfort in een ensemble dat hout en natuurvezels combineert teneinde een informeel, geordend effect te verkrijgen.

Hoogslapers

De kinderkamer is meestal een ruimte die gedeeld wordt door meerdere personen en meer dan één functie vervult. Er zal een extra speelhoek, studeerhoek en slaaphoek moeten komen wanneer de kinderen de kamer delen, wat een gebrek aan ruimte veroorzaakt die maximaal functionele oplossingen vereist.

Hoogslapers zijn grappige, praktische elementen waarmee de ruimte benut kan worden zonder aan esthetiek in te boeten. Hoogslapers hebben vaak extra ruimte voor kasten of een bureautje, kunnen verplaatsbaar zijn of hebben leuke, moderne ontwerpen. Hierdoor zijn ze voor slaapkamers met meerdere kinderen de beste oplossing.

Mobiele hoogslapers waarbij de twee constructies uit elkaar en in elkaar kunnen worden geschoven. Dit vergroot de ruimte van de slaapkamer. Originaliteit en functionaliteit zijn kenmerkend in een combinatie van eenvoudige vormen en zuivere esthetiek.

Functionaliteit en esthetiek in een structureel eenvoudige combinatie, waarin de hoek van de kamer wordt benut en een meer gesloten ruimte wordt gecreëerd, wat dit deel tot slaaphoek omvormt. (rechts)

Zeer functionele combinatie van Battisttella dankzij de verschuiving van de hoogslaper, wat ruimte vrijmaakt voor een lage kast.

De ruimte die ontstaat door de hoogslaper te verplaatsen, heeft een lage, diepe structuur die geschikt is voor het ophangen van kleding. (rechts)

Model Gutvik van Ikea. De klassieke, dubbele hoogslaperconstructie, uitgevoerd in onbehandeld massief grenenhout.

Hoogslaper die dankzij een rail aan de muur over het andere bed of de schrijftafel te verplaatsen is. De functionaliteit van deze mobiele elementen combineert originaliteit en esthetiek.

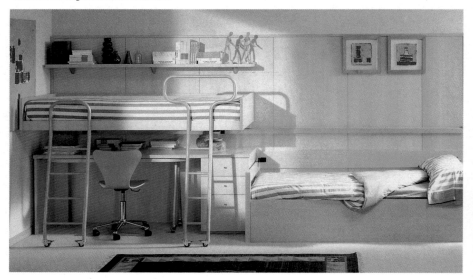

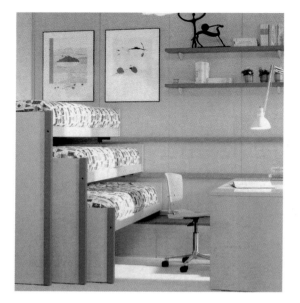

Combinatie van drie
mobiele hoogslapers in
een uitschuifconstructie.
De veelzijdigheid van
deze elementen creëert
een slaaphoek die
eveneens als
studeerhoek geschikt is.

In deze combinatie van Besana
zijn het onderste bed en de
schrijftafel door middel van
rails aan de muur bevestigd.
Met een simpele beweging zijn
deze in gebruik te nemen.

Combinatie Minispazio van Sangiorgio. De ladder aan de achterkant van de hoogslaper combineert originaliteit en functionaliteit: elke trede is een opbergdoos.

Romantische combinatie van hoogslaper met slaapbank. Door de hoogte van het bed en de solide structuur van de trap lijken het twee onafhankelijke verdiepingen.

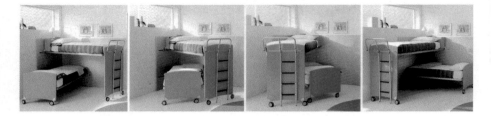

Detail van de veelzijdigheid van het model *Gulliver* van Besana. De vele combinaties die met dit element mogelijk zijn, veranderen het in een dynamisch, grappig ensemble.

De eenvoudige, grappige vormen van het model *Gulliver* van Besana combineren veelzijdigheid en esthetiek zonder dat de ruimte te vol wordt. (rechts)

Rechte hoogslaper-combinatie van Mobil Girgi. De rechte lijnen en de functionele esthetiek van deze combinatie maken hem tot een functionele, levendige hoogslaper.

Een tienerkamer

De kinderkamer is een ruimte die zich op de toekomst richt. Het is een vertrek dat uitgaat van de meest uitgebreide eisen van de hedendaagse leefgewoonten, want zowel een kleuter als een tiener moet volop met zijn tijd meegaan om een stap in de toekomst te kunnen zetten. Deze voorstellen beantwoorden aan de hoge kwaliteit die gesteld wordt aan het interieur van de tienerkamer.

Bed en nachtkastje zijn eenvoudig in te klappen in de brugvormige nis die het hoofdeinde vormt.

De collectie *Woodline* van San Giorgio omvat veelzijdige en eenvoudige modellen die het geheel een zeer jeugdig karakter geven.

Studeerhoek in een jeugdige sfeer. Ladenkast met wieltjes en composities van tafel met uitschuifblad en bijpassende kasten. (rechts)

Twee zeer verschillende mogelijkheden: een
plattelandskamer en een zeemanskamer.

Badkamers

Over het algemeen brengen we niet al te veel tijd in de badkamer door. Toch kunnen we ons allemaal het dagelijks terugkerende ritueel van bekvechtende gezinsleden voor de geest halen. Allemaal eisen we het alleenrecht op dit vertrek op.

Er is geen twijfel over mogelijk dat het een onmisbare ruimte in het huis is. Maar we hebben zelf in de hand hoe we deze functionele ruimte tot een paradijs voor ontspanning en genot omtoveren.

Aan het begin van deze eeuw was alles taboe wat in verband stond met de badkamer. Tegenwoordig staat deze kamer niet meer in de schaduw. Sterker nog, het is een symbool van status en persoonlijke stijl geworden, met als doel de creatie van een comfortabel, uiterst elegant vertrek. Alleen in deze aangename ruimte is het mogelijk dat we ons, doortrokken van de Romeinse geest, onderdompelen in een schuimbad als een puur hygiënische en tevens plezierige bezigheid.

De badkamer is meestal klein, en er valt vaak geen natuurlijk licht binnen. Daarom is het een vertrek dat een overwogen indeling en de juiste verlichting vereist. De indeling van de ruimte dient voornamelijk te beantwoorden aan onze persoonlijke smaken en behoeften.

Het meest comfortabele is het bad achter in het vertrek te plaatsen, of in het midden indien we over voldoende ruimte beschikken, en het bidet en het toilet tegen de muur waar ook de deur zit, zodanig dat we ze niet op de meest opvallende plaats in de badkamer installeren. Ook is het raadzaam het sanitair op de juiste hoogte in te stellen, standaard zo'n negentig centimeter boven het vloeroppervlak. Laag sanitair voor kinderen is een andere zaak, maar het is niets meer dan een gril, want kinderen groeien waardoor dit sanitair meteen in onbruik raakt.

Om echter meer rendement uit deze ruimte te halen, moeten we onszelf enkele vragen stellen: als het de enige badkamer in huis wordt, moeten we weten hoeveel personen hem zullen gebruiken en wat ze er zullen doen.

In het geval dat een of twee personen de badkamer in gebruik zullen nemen, is niet veel ruimte nodig; dus zijn grote kasten eveneens niet vereist, daar alleen al enkele legplanken voor enige orde kunnen zorgen.

In een veelgebruikte badkamer daarentegen is ruimheid ideaal. Als ons budget het toelaat, is een ingedeelde badkamer zeer handig, wat de toilet- en bidethoek van de rest van het sanitair scheidt. Op deze manier kan een van de gezinsleden rustig van het toilet of het bidet gebruik maken terwijl een ander zijn tanden poetst of een douche neemt.

In de luxere badkamers bestaan er ook twee afgescheiden zones. In de ene ruimte staan hygiëne en ontspanning centraal, met een hydromassagebad of een douchecabine met stoombad. In de andere ruimte is dat het lichaam, in meest esthetische zin, want deze ruimte is bestemd voor lichaamsverfraaiing, fitness of zonnebank. Een en al luxe voor lichaam en geest. Veel levensgenieters veranderen hun badkamer dan ook in een extra kamer.

Wat de verlichting betreft, zijn er twee mogelijkheden: een intens licht of een tamelijk gematigd, zachter licht. Als geen van beide mogelijkheden de voorkeur krijgt, kan men een lichtregelaar installeren waarmee een scala aan nuances mogelijk is. In elk geval versterkt een wit, stralend en intens licht het gevoel van ruimheid. In dit opzicht kan deze ruimte-illusie die velen in hun badkamer wensen, mogelijk worden gemaakt door spotlampen in het plafond en enkele strategisch opgestelde spiegels.

Een ander element dat het ruimtelijk effect van de badkamer vergroot, is de kleur. Uiteraard reflecteren een witte muur of witte tegels licht. De goedkoopste decoratie is verf, dat ons oneindig veel mogelijkheden biedt: zo kunnen we de metalen muuronderdelen in het vertrek een andere kleur geven. Op deze wijze krijgt de kamer een beetje levendigheid. Een andere optie is behang. Het conventionele behang moet met een speciale vernislaag worden beschermd om de duurzaamheid te verlengen, aangezien het papier kapot kan gaan door vocht. Om stoom in de badkamer te vermijden, is het noodzakelijk een raam te installeren dat naar buiten kan worden geopend of, bij gebrek eraan, een dakraam of een afzuiginstallatie.

Als de nieuwe badkamer transparant en licht moet zijn, gaat het eveneens prima samen met nieuwe materialen. Daarbij overheersen de grote panelen van glas, kamerschermen en spiegels. De muur en de vloer worden bekleed met marmer, graniet en parket. De meubelen mogen van hout, staal en glas zijn. Een combinatie van verschillende stijlen en materialen op zoek naar een harmonisch, avant-gardistisch eclecticisme.

De ruimte indelen

Of we de badkamer nu verdelen in
verschillende onafhankelijke ruimten
(wc, wastafel, douche), of deze in de
slaapkamer integreren met enkel en alleen
een transparant glas als scheidingswand:
de indeling van de verschillende activiteiten die we er uitvoeren, vraagt om een
evaluatie van de privacy die elke ruimte
vereist.

Door het toilet/bidet-gedeelte af te sluiten, verkrijgt men, enerzijds een grotere bewegingsvrijheid in de rest van de badkamer en kan, de badkamer anderzijds tegelijkertijd door twee personen worden gebruikt zonder een schending van de privacy.

De wastafel hoeft niet per se verbonden te zijn met de andere activiteiten in de badkamer. In dit geval staat de wastafel in een open zaal, waarbij gekozen is voor een model in hout en roestvrij staal. In 1995 door Capilla & Vallejo ontworpen voor Rapsel.

Twee voorbeelden van toiletruimten die door een transparant glas zijn afgesloten; de eerste staat in een zolderkamer die door Rüdiger Lainer ontworpen is aan de Seilergasse in Wenen; de tweede staat in een plattelandswoning aan de Costa Brava (Spanje) die door BDM Arquitectos gerenoveerd is. (links)

Door transparante ruiten te gebruiken, kunnen zelfs badkamers met grote ramen verlicht worden zonder dat ze de nadelen van een absolute doorzichtigheid ondervinden.

Estanislao Pérez Pita heeft gekozen voor een blok van doorzichtig glas om de muur te dichten die direct achter de wastafel staat. Door middel van een eenvoudig systeem van draaiassen kan een van de blokken gekanteld worden voor doorventilatie.

De badkamer in het Häusler-huis van Baumschlager & Eberle wordt verlicht door een schuifdakvenster.

Een badkamer verlichten

Met het doel in het ene geval privacy te garanderen en in het andere
geval andere kamers in het huis te
begunstigen, is in badkamers vaak
geen natuurlijk licht. Toch is er in
geen enkele van de badkamers die
op de volgende pagina's verschijnen
een directe visuele interactie met
buiten. Het natuurlijk licht blijft
echter zonder twijfel een verbetering
van de kwaliteit van deze ruimten.

In zijn huis in Phoenix hebben Wendell Burnette, en Alfred Mukenberk in zijn Londense appartement, ervoor gekozen de spiegel tegenover de wastafel te vervangen door een raam.

De absolute vereenvoudiging van een kraan is deze tot een buisvorm te reduceren. Daarvoor is het nodig de grepen van de kraanhals te scheiden en daarbij de mechanismen in de muur in te bouwen. Dit proces is de aanleiding geweest voor enkele modellen die door Jacobsen voor Vola zijn ontworpen (zie foto), of voor de series *Tara* (Dronbracht), *Axor* (Hansgrohe) of *Minimal* (Boffi).

De serie *Minimal*-mengkranen is ontworpen door Giulio Gianturco voor Boffi. Het is de eerste keer dat er roestvrij staal type *316-L* wordt gebruikt.

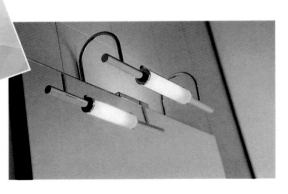

Absolute eenvoud

De absolute eenvoud en
de strakke lijnen waarmee
enkele moderne badka-
mers zijn ontworpen, kun-
nen niet los gezien worden
van de huidige tendens om
het minimalisme in deze
kamers op te nemen.

Ligstoel ontworpen door Povl Bjerregaard Eskildsen voor TRIP/TRAP, Scandi Möbler. De stoel is vervaardigd van teakhout en in volledig uitklapte stand zijn de afmetingen 202 × 73,5 × 32 cm.

De badkamer van het Price-O'Reilly-huis, ontworpen door het Australische architectenpaar Engelen & Moore, kenmerkt zich door een overvloedig gebruik van glas en spiegels. (rechts)

In het Stampfel-huis heeft de Duitse architect Wolfgang Döring in de badkamer een industriële wastafel van roestvrij staal opgenomen die aan een halfhoge muur is bevestigd waaraan geen spiegel kan hangen.

Kleurenspel

Het is lange tijd traditie geweest dat badkamers steriel wit waren. Badkamers zijn echter niet altijd wit geweest en hoeven dat ook niet te zijn. De toevoeging van kleur kan het imago veranderen van een kamer waarin weinig ruimte voor fantasie is.

Een gebruikelijk hulpmiddel in betegelde badkamers zijn sierranden. De tegelfabrikanten nemen zelf verschillende modellen in hun catalogi op. In dit geval zijn de gebruikte tegels ontworpen door Pada Lenti voor Appiani. Daarnaast, de wastafel van Philippe Starck voor Duravit. (rechts)

In deze badkamers ontstaat het kleurenspel niet door de toevoeging van sierranden of dessins van de fabrikant, maar door de vervanging van enkele witte tegels door gekleurde. Het is dus een handeling die de gebruiker naar gelang zijn eigen smaak en intuïtie uitvoert.

Mengkraan uit de serie *Point*, ontworpen door Dieter Sieger voor de firma Dornbracht. De gehele serie, waaronder ook accessoires als handdoekhouders, legplanken en glazenhouders, zeepbakjes en wc-papierhouders, kenmerkt zich door de buizen die alle in een kegelvormige hoedstructuur zijn afgewerkt.

De mozaïek-techniek, uitgevonden door Guadí in zijn fameuze bouwwerken in Barcelona, omvat het breken van tegels tot kleine tegelstukjes waarmee vervolgens de muren worden bekleed. Het eindresultaat is een veelvoud van naden in alle richtingen. Zonder twijfel gaat het om een techniek die zeer geschikt is om kromme oppervlakken mee te bedekken en wellicht is dat de reden geweest waarom Antoni Gaudí deze techniek begon toe te passen.

Javier Mariscal is de bedenker van een serie stoelen, fauteuils en bankstellen voor de Italiaanse firma Moroso, bekend als *Los Muebles Amorosos* (1995) met over-duidelijke verwijzingen naar de stripwereld, die zeer dicht bij de creatieve wereld van Mariscal ligt. In dit geval gaat het om de stoel *Ettorina*, een verchroomde staalstructuur met schuimzitting van onbrandbaar polyurethaan.

Wastafels met hout

Hoewel het beeld van een houten wastafel of bad nog steeds blijkt te choqueren, is het een materiaal dat, mits op de juiste manier behandeld, even waardevol kan zijn als elk ander materiaal voor de bouw van sanitair.

Badkamer in een Londens appartement, verbouwd door Simon Conder in 1995. (links)

Evenals Conder maakt John Pawson deel uit van de generatie minimalistische architecten uit Engeland die het gebruik van hout voor wastafels en badkuipen hebben doen herleven. In dit geval gaat het om stukken die speciaal ontworpen zijn voor het Neuendorf-huis op Mallorca.

De Italiaanse firma Agape
produceert enkele exclusieve
modellen van houten
wastafels. *Flat* is een design
van Giampaolo Benedini.

El Gabbiano, eveneens
van Agape, is ontworpen
door Giuseppe Pascuali,
die ook de ontwerper is
van de spiegel *351*.

In veel scènes van De Maagd van de regisseur Peter Greenaway, wast de hoofdrolspeler zich in een badkuip op poten middenin een ruime zitkamer. Uiteraard was het de bedoeling van de regisseur de badscène in een metaforische ceremonie te veranderen. De film heeft in de jaren daarna een aanzienlijke invloed gehad en een zekere heropleving van dit type badkuipen veroorzaakt.

Losstaande badkuipen

In tegenstelling tot ingebouwde badkuipen, is het zeer moeilijk je in losstaande, vrije badkuipen te douchen zonder de gehele ruimte nat te maken. Het is namelijk bijna onmogelijk de badkuip af te schermen met een gordijn.

Het nostalgische karakter van losstaande badkuipen betekent in vele gevallen dat voor antieke mengkranen wordt gekozen. Toch is het ook mogelijk losse badkuipen te bouwen in moderne, abstracte lijnen.

Vaak betekent een
ingebouwde badkuip
dat de vloer enkele
centimeters moet
worden opgehoogd en
er daarom een of twee
treden moeten worden
gemaakt.

Met de bouw van een
vierkant platform
rondom een ronde
badkuip is in de kamer
zelf, een bijna
onafhankelijke ruimte
voor baddoeleinden
gecreëerd.

In dit geval neemt de
badkuip een bijzondere
positie in: vlak naast
het bed en bij een raam
met uitzicht op de tuin.
(rechts)

Deze badkuip is in de
muur ingebouwd. Hij is
gemaakt van cement
met waterdichte lagen
en een bovenlaag
van mozaïek.

Vloerbad

Nostalgische badkuipen

De klassieke stijl laat zich in de hedendaagse badkamers gelden als een alternatief voor het minimalisme.

In deze badkamer in een huis in San Bernabé, in Mexico F.D., hebben de architecten Sergio Puente en Ada Drewes het gekozen sanitair weten te combineren met het grijze marmer van de muren. Hierdoor is een decadente sfeer ontstaan. (rechts)

De meeste sanitairbedrijven hebben in hun catalogi series in *revival*-esthetiek staan, waardoor het niet nodig is antiekstukken te gebruiken.

De nieuwe tendensen tekenen voor een terugkeer
van klassieke badkuipen, waarin zuilwastafels,
badvloertegels en déco-vormen overheersen.

De bekende Franse designer Philippe Starck heeft de laatste vijftien jaar een flink aantal elementen voor badkamers ontworpen in samenwerking met firma's als Duravit (sanitair), Hansgrohe (mengkranen en accessoires), Hoesch (badkuipen), Rapsel (wastafels) of Fluocaril (tandenborstels).

Model *Lola Herzburg* met een autonoom meubel en een wastafel, voor Rapsel. Ontwerp in chroomstaal en wastafel in roestvrij staal.

De mengkraan maakt deel uit van de serie *Axor* van Hansgrohe, die ook inbouwkranen, handdoekdragers, spiegels, legplanken, zeepbakjes, kleerhangers en allerlei accessoires levert. Het meubelstuk is van Duravit. Het is leverbaar in verschillende grootten met zowel een houten als een metalen constructie.

De serie van Duravit, waaronder wastafels die zowel los kunnen hangen als vast in een blad.

De keuze van Starck

Sanitair

De vormen ontwikkelen zich en de intiem functionele indeling wordt een uiting van stijl. Het huidige design voor sanitairmeubelen versterkt de schoonheid en eenvoud van vormen en creëert zo meubelstukken met een duidelijk decoratief karakter, zonder het aanvankelijk praktische nut uit het oog te verliezen.

Deze lichte, witte sanitairmeubelen contrasteren met de tinten van de vloer en de muren in deze combinatie van Laconda.

Het idee de sanitairmeubelen direct aan de muur te bevestigen teneinde de vloer vrij van obstakels te houden, is een zeer functionele, esthetische gedachte.

Pure vormen en een geometrische indeling versterken in deze combinatie het gevoel van een perfecte afwerking. (rechts)

De vele nuances in deze combinatie van Villeroy & Boch zorgen ervoor dat het licht in alle details aanwezig is. (rechts)

Ensemble van Caro in meer rechthoekige vormen, met designlijnen die zich van het conventionalisme vervreemden.

Detail van het toilet uit de collectie *Century Titanic* van Villeroy en Boch.

Serie *Veranda* van
de firma Roca.
De ontbrekende,
rechte lijnen in de
sanitairmeubelen
contrasteren met de
geometrische combinatie
van de tegels en de
betonelementen. (links)

Voorzijde (detail) van
de wastafel met
sifonkap uit de serie
Veranda van Roca.
Absolute eenvoud in
een combinatie van
kromme lijnen.

Serie *Century Garden*
van Villeroy & Boch.
Natuurlijkheid wordt
gecombineerd met een
avant-gardistisch design.

Vloeren en bedekkingen

De alternatieven voor de gebruikelijke keramische tegels zijn zeer talrijk. Aluminium golfplaat, houten zwaluwstaart-verbindingen of decoratieverf zijn mogelijkheden die in overweging moeten worden genomen.

Houten vloer en met aluminium-golfplaat bedekte muren. Dit huis is gebouwd door John Mainwaring in Queensland (Australië).

Badkuip met keramieklaag volgens de trencadis-techniek.

Natuurstenenmuren en grenen douche in een rustieke badkamer van een berghut. (boven)

Een houten zwaluwstaartverbinding met laklaag wordt gebruikt voor een perimetrale, halfhoge sokkel. (boven)

Deze set is gemaakt van zeer donker tropisch hout, heeft een marmeren blad en porseleinen wastafels.

Er is gres gebruikt als deklaag voor zowel de vloer als de muren. (rechts)

Wastafels op maat

Ondanks de vele soorten wastafels, rekjes en mengkranen die op de markt verkrijgbaar zijn, zijn er mensen die de voorkeur geven aan een op maat gemaakt stuk. De gebruiker kan meer of minder invloed uitoefenen op het uiteindelijke resultaat. Hij kan alleen het ontwerp van de rekjes en mengkranen bepalen, of zelfs het hele interieur van de badkamer. Echter, in alle gevallen betekent het besluit om inspraak te krijgen in het design dat men een persoonlijke stempel op de badkamer wil drukken.

Deze wastafel staat in een huis dat door Rob Wellington Quigley is gebouwd in Capistrano Beach, CA, in 1994. De gebruikte materialen en de positie, ver van het andere sanitair, maakt dat de wastafel doet denken aan een doopvont. (rechts)

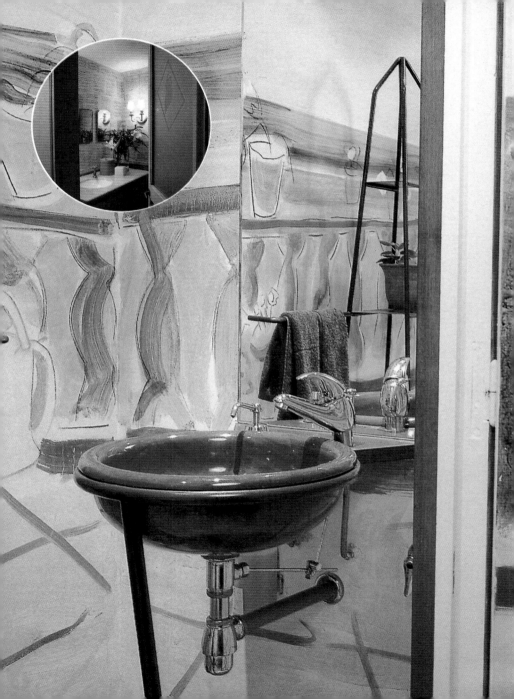

In zijn Londense
woning heeft Peter
Romaniuk ervoor
gekozen alle
badelementen in de
gang te plaatsen
waardoor je naar de
slaapkamers loopt.
Het gaat dus om een
doorgang en niet om
een privéruimte. Om
toch een zekere graad
van privacy te creëren,
heeft de Londense
architect enkele ronde
gordijnen opgehangen
rondom de verschil-
lende meubelstukken:
wasbak, toilettafel en
badkuip. Elk van deze
ruimten wordt verlicht
door een dakvenster.
De sanitairs zijn
vrijstaande stukken
die zeer sterk doen
denken aan de
machines van
Jean Tinguely.

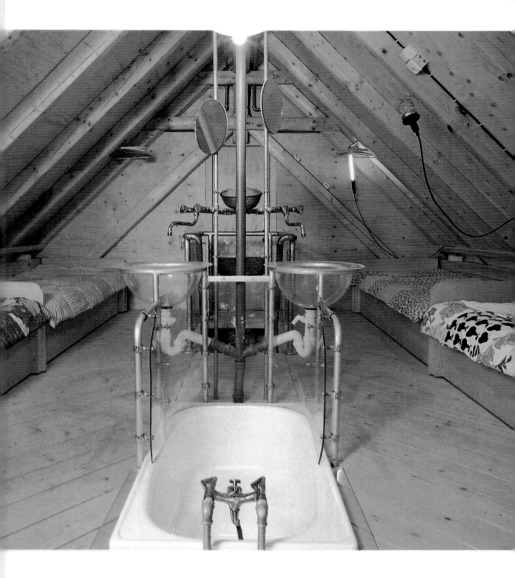

De luxe van ruimte

Hoewel het gaat om een luxe die moeilijk te verkrijgen is vanwege het gebrek aan bewoonbare ruimte in de grote steden, zijn er wel gevallen waarin het mogelijk is te genieten van ruime badkamers en toiletten, zoals die op deze pagina's worden afgebeeld.

Residentie bij het Weyba-meer (Australië). Het stelt een watergebied voor, ontworpen door Gabriel Poole in 1996.

Complete badkamer van een huis in Hannover (Duitsland). Design van Storch & Ehlers.

Porselein

Porselein is wellicht het meest gebruikelijke materiaal voor de bouw van sanitair. Daarom identificeert men dit materiaal vaak met onbeduidende en weinig verfijnd sanitair. Toch is porselein een materiaal met enorme mogelijkheden, niet alleen vanwege het uitstekende weerwoord op water en de eenvoudige fabricage, maar ook vanwege de vele beelden die het kan oproepen dankzij een lange geschiedenis in de wereld der badkamers.

Dit model van Duravit is een combinatie van design en robuuste functionaliteit. De badkamer kan hierdoor worden gebruikt als kleedruimte of zelfs als wasruimte voor kleding en afwas. (rechts)

Porseleinen wastafel van Boffi.

Inbouwkraan uit de serie *Tara*, ontworpen door Dieter Sieger voor Dornbracht.

Porseleinen wastafel ontworpen door Philippe Starck voor Duravit.

Wastafel *Charles*, ontworpen door Giampaolo Benedini voor Agape.

Oppervlakken van glas

Rapsel is een stap verder gegaan en biedt in zijn catalogus wastafels aan met transparante wasbakken. Hiernaast het model Homage to Sheila van Gianluigi Landoni.

Coup de foudre van Shiro Kuramata.

Glas is een materiaal dat steeds vaker wordt toegepast in badkamers. Het transparante karakter is aantrekkelijk in een ruimte waar stralende, aseptische oppervlakken gewenst zijn.

Roestvrij staal

Hoewel het gebruikelijker is dat roestvrij staal enkel en alleen voor de mengkranen en de binnenkant van de wastafel wordt gebruikt, heeft de toepassing van dit materiaal zich uitgebreid tot de productie van sanitair dat volledig van roestvrij staal is vervaardigd.

Wing, ontworpen door Gianluigi Landoni voor Rapsel.

Zuilwastafel *Euclide* ontworpen door Finn Skodt in 1984 en geleverd door Rapsel. (rechts)

Wastafel *Optima* van Sloan. Het industriële sanitair is geleidelijk aan opgenomen in huiselijke kringen.

Wastafel *Morgans*, ontworpen door Andrée Putman. Geleverd door Nito, inclusief een serie accessoires.

Menhir, model van Giampaolo Benedini voor Agape. (rechts)

Fino (1990) voor
Solo Möbel.

Herbert Ludwikowski

De eenvoudige vormen van de ontwerpen van Herbert Ludwikowski maken het makkelijker zijn voorwerpen in allerlei interieurs te plaatsen. Hij maakt zijn ontwerpen zo, dat ze onafhankelijk zijn en als autonoom meubel kunnen functioneren.

Swing (1992) voor
Solo Möbel.

Spiegelmeubel Laser (1989) voor Solo Möbel. De wastafel is ontworpen door Berger & Stahl voor Rapsel.

Calypso (1994) voor
Solo Möbel.

America's Cup (1993)
voor Rapsel.

De wastafel met zuil

Positano, ontworpen door Matteo Thun in 1997 voor Rapsel. Het is een wastafel van geëmailleerde keramiek in de kleuren wit of terracotta. De kasten aan weerszijden zijn van Gunilla Allard.

Bagnella, ontworpen door Dieter Sieger voor Duravit. Het gaat om een serie met verschillende modellen met lichte, formele aanpassingen en verscheidene materialen. Ook is een reeks aanvullende accessoires ontworpen.

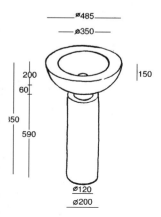

Douches

Douchebak
New Haven —
Villeroy & Boch

Isly — Jakob
Delafon.

Iristor — Jakob
Delafon.

Tholastar —
Jakob Delafon.

Douchebak *Kattara*
— Jakob Delafon.

Douchebak *Djerba*
— Jakob Delafon.

Punch-douchebak
– Jakob Delafon.

Douchebak *Tonus*
— Jakob Delafon.

Trocadero-
douchebak –
Jakob Delafon.

Douchebak *Báltica*
— Jakob Delafon.

Kasten

Hoge kast –
Universo.

Creative System – *Viala.*

Make-up kast
– *Universo.*
(links)

Hoge kast –
Villeroy
& Boch

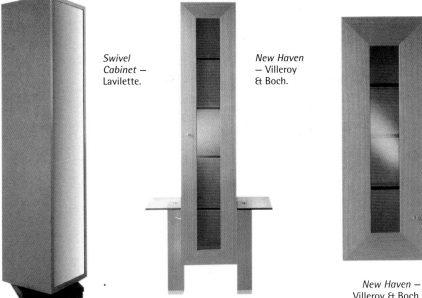

Swivel Cabinet — Lavilette.

New Haven — Villeroy & Boch.

New Haven — Villeroy & Boch.

Hoge kast - Villeroy & Boch.

Symphonie — Giamo.

Bidets

Trocadero –
Jakob Delafon.

New Haven –
Villeroy & Boch.

Astros – Jakob
Delafon.

Portrait –
Jakob Delafon.

Fleur — Jakob Delafon.

Antores — Jakob Delafon.

Altair — Jakob Delafon.

Veranda – Roca.

Odeon — Jakob Delafon.

Wastafels

Duo — Jakob Delafon.

Altair — Jakob Delafon.

Obina — Dorn Bracht.

Aldo — Bagnella.

Vito – Bagnella.

Giula – Bagnella.

Laura – Bagnella.

Epura Modern Home – Villeroy & Boch.

Wastafel van Lavilette.

Wastafel *Manva*.

Wastafel *Bali*.

Wastafel *Duraplus*.

Wastafel *Morea*.

Wastafel *Caro*.

Wastafel *Darling*.

Wastafel *Dellorco*.

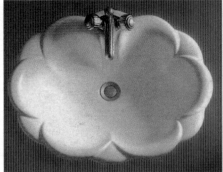

Wastafel *Orchidee*.

Wastafel *Laconda*.

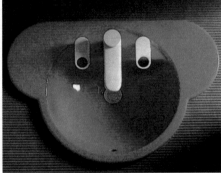

Wastafel *Giamo*.

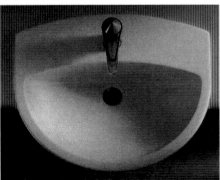

Wastafel *Dellarco*.

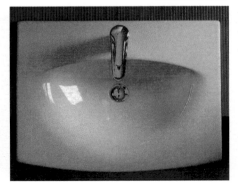

Wastafel *Caro*.

Wastafel *Darling*.

Epura Cottage — Villeroy & Boch.

Astros — Jacob Delafon.

Revival — Jacob Delafon.

Fleur – Jacob Delafon.

Portrait – Jacob Delafon.

Trocadero –
Jacob Delafon.

New Haven –
Villeroy & Boch.

New Haven –
Villeroy & Boch.

Badkuipen

New Haven. Villeroy & Boch.

Gietijzeren badkuip *Portrait*. Jacob Delafon.

Gietijzeren badkuip *Revival*. Jacob Delafon.

Gietijzeren badkuip *Fleur*. Jacob Delafon.

Ceta.

Vahina badkuip van methacrylhars. Jacob Delafon.   *Laelia* badkuip van methacrylhars. Jacob Delafon.

Amalia badkuip van methacrylhars. Jacob Delafon.   *Odyssea* badkuip van methacrylhars. Jacob Delafon.

Gietijzeren badkuip *Astros*. Jacob Delafon.

Odeon badkuip van methacrylhars. Jacob Delafon.

Gietijzeren badkuip *Altair*. Jacob Delafon.

Gietijzeren badkuip *Trocadero*. Jacob Delafon.

Gietijzeren badkuip *Antores*. Jacob Delafon.

Bubbelbad *Super Repos*. Jacob Delafon.

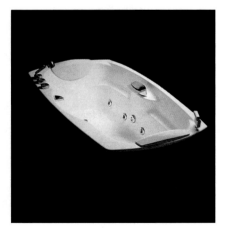

Bubbelbad *Trocadero*. Jacob Delafon.

Bubbelbad *Astros*. Jacob Delafon.

Viala.

Magnum.

Gran Gracia.

Helios.

Libra

Taurus.

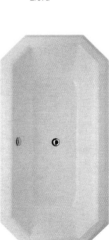

Opera.

Cetus.

Stratos.

Zenith.

Amadea.

Tiora.

Tucana.

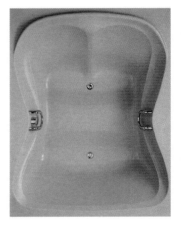

Antibes.

Benodet.

Deauville.

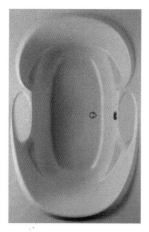

Belle Ille.

Oleron.

Honfleur.

Menton.

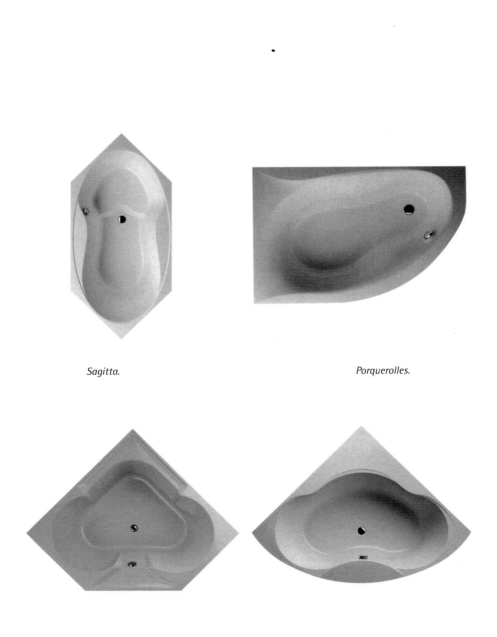

Sagitta.

Porquerolles.

Camaret.

Croisic.

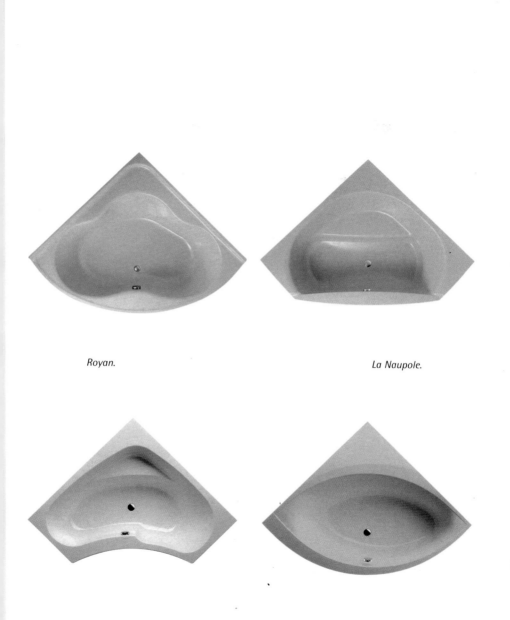

Royan.

La Naupole.

Quiberon.

Pallas.

Closetten

Portrait. Jacob Delafon.

Odeon. Jacob Delafon.

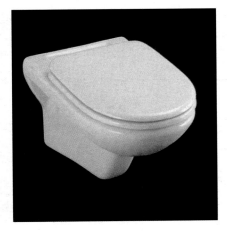

Altair. Jacob Delafon.

Trocadero. Jacob Delafon.

Antores. Jacob Delafon.

Atila. Jacob Delafon.

Fleur. Jacob Delafon.

Astros. Jacob Delafon.

Revival. Jacob Delafon.

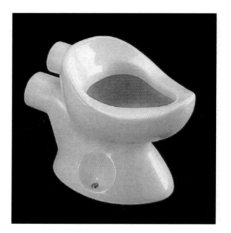

Maternelle. Jacob Delafon.

Verhoogd closet. Jacob Delafon.

Vrij, verhoogd closet. Jacob Delafon.

Helios. Villeroy & Boch.

Orchidee. Jacob Delafon.

Veranda. Roca.

New Haven. Villeroy & Boch.

Kranen

Eengreeps
wastafelmeng-
kraan *Trocadero*.
Jacob Delafon.

Méngkraan
Topkapi.
Jacob
Delafon.

Eengreeps
mengkraan
Palacio. Jacob
Delafon.

Eengreeps
wastafel-
mengkraan
Tao. Jacob
Delafon.

Eengreeps
wastafelmeng-
kraan *Cip*.
Jacob Delafon.

Eengreeps
bidetmeng-
kraan *Galatea*.
Jacob Delafon.

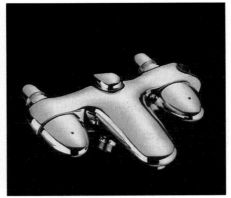

Eengreeps wastafel-
mengkraan *Galatea*.
Jacob Delafon.

Mengkraan
Topkapi. Jacob
Delafon.

Douchemengkraan.
Jacob Delafon.

Wandmengkraan
voor bad en douche.
Jacob Delafon.

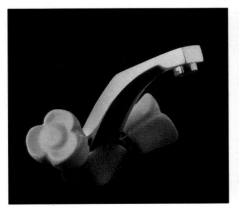

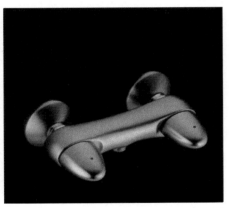

Set voor bad en
douche. Jacob Delafon.

Wandmengkraan voor douche
Topkapi. Jacob Delafon.

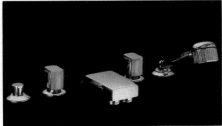

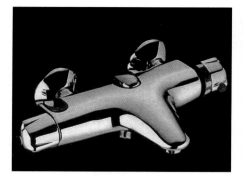

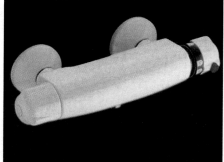

Thermostaat voor bad
en douche *Ultima*.
Jacob Delafon.

Thermostaat voor
douche *Ultima*.
Jacob Delafon.

Bad- en douche-
mengkraan *Trocadero*.
Jacob Delafon.

Bidet- en wastafel-
mengkraan met lage
kraanhals *Palacio*.
Jacob Delafon.

Set voor bad en
douche *Palacio*.
Jacob Delafon.

Bidet- en wastafelmengkraan
Postrait. Jacob Delafon.

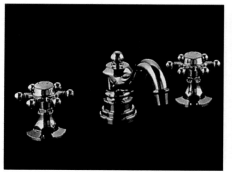

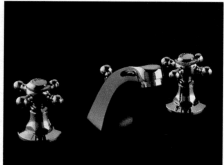

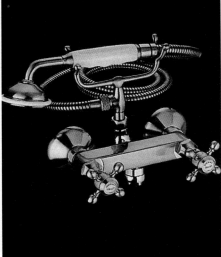

Wandmengkraan
voor bad en
douche *Palacio*.
Jacob Delafon.

Wandmengkraan
voor douche
Postrait. Jacob
Delafon.

Set voor bad en
douche *Postrait*.
Jacob Delafon.

Wandmengkraan voor
bad en douche *Postrait*.
Jacob Delafon.

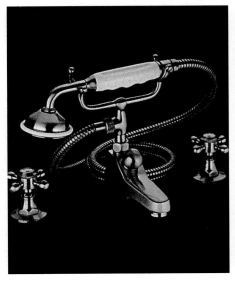

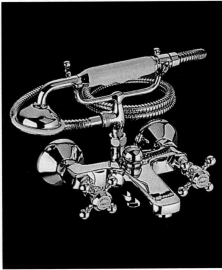

Bidet- en wastafel-
mengkraan *Postrait*.
Jacob Delafon.

Eengreeps wandmengkraan
voor bad en douche *Elosis*.
Jacob Delafon.

Wastafelmengkraan
met hoge kraanhals
Palacio. Jacob
Delafon.

Eengreeps wastafel-
mengkraan *Elosis*.
Jacob Delafon.

Eengreeps bad- en
douchemengkraan
Elosis. Jacob Delafon.

Wastafelmengkraan
Galatea. Jacob
Delafon.

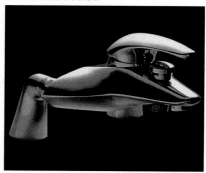

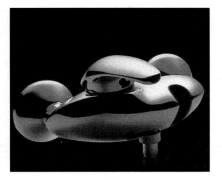

Eengreeps wandmengkraan
voor douche *Elosis*. Jacob
Delafon.

Wastafelmengkraan
O. Jacob Delafon.

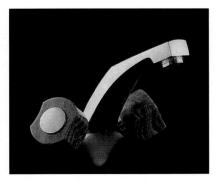

Wastafelmengkraan
Topkapi. Jacob
Delafon.

Bidetmengkraan
Topkapi. Jacob
Delafon.

Wandmengkraan voor
bad en douche *Topkapi*.
Jacob Delafon.

Bidet- en wastafel-
mengkraan
Topkapi. Jacob
Delafon.

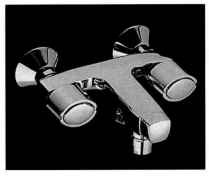

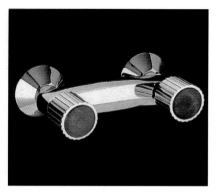

Wandmengkraan voor douche
Topkapi. Jacob Delafon.

Pulsamat Surf. Grohe.

Pulsactron. Grohe. Verankerde mengkraan
Pulsactron. Grohe.

Mengkraan Wandmengkraan
Contrapress. Grohe. *Pulsactron.* Grohe.

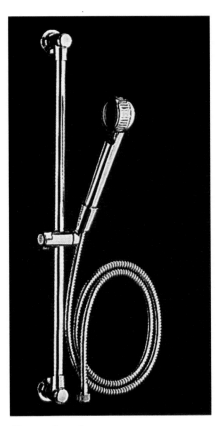

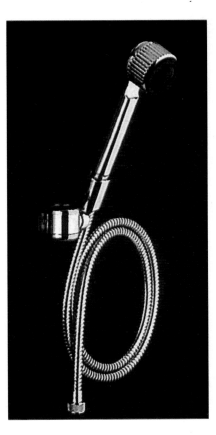

Vier wandmengkranen voor
bad en douche *Topkapi*.
Jacob Delafon.

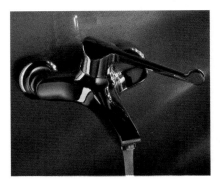

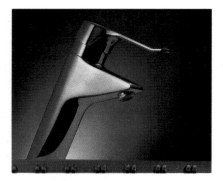

Mengkraan *Euroeco*.
Grohe.

Mengkraan *Taron*.
Grohe.

Mengkraan *Chiara*.
Grohe.

Wastafelmengkraan
Sinfonia. Grohe.

Mengkraan *Eurotrend*. Grohe.

Mengkraan *Sentosa*. Grohe.

Mengkraan
Grohtherm. Grohe.

Mengkraan *Europlus*. Grohe.

Mengkraan *Eurowing*. Grohe.

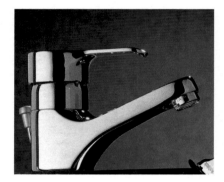

Mengkraan *Eurodisc*. Grohe.

Mengkraan *Eurodur*. Grohe.

Mengkraan *Atlanta*. Grohe.

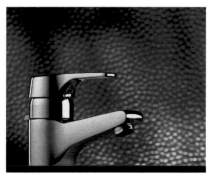

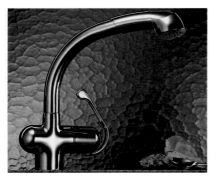

Zedra. Grohe.

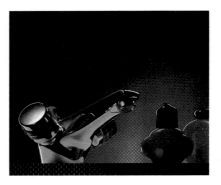

Supra. Grohe.

Douchekop *Relexa
Plus.* Grohe.

Adria Hit. Grohe.

Automatic 2000. Grohe.

Polaris.

Madison.

Point. Sieger Design.

Tara Classic.
Sieger Design.

Fino. Sieger Design.

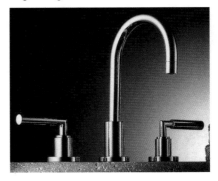

Wastafelmengkraan
Tara. Sieger Design.

Tara. Sieger Design.

Mengkraan *Tara*.
Sieger Design.

Meta Pur.
Sieger Design.

Meta Luce Colour.
Sieger Design.

Meta Classic .
Sieger Design.

Meta Nova.
Sieger Design.

New Haven. Grohe.

Terrassen

Een terras is een luxe, vooral voor die mensen die in een stadswijk wonen waar het landschap wordt beheerst door asfalt. Deze buitenruimte zorgt voor contact met de natuur binnen de intieme sfeer van de eigen woning. Het is mogelijk dit gedeelte aantrekkelijker en functioneler te maken met behulp van de juiste meubelen en accessoires. Bij de inrichting van het terras moeten we rekening houden met de beschikbare ruimte, de ligging en de activiteiten die we er willen uitvoeren.

Als de ruimte, en tevens ons budget, het toelaten, kunnen we ervoor kiezen een zwembad in ons terras aan te leggen. Het moet een weloverwogen besluit zijn, omdat een zwembad onderhoud vraagt en dus extra kosten met zich mee brengt. Een zwembad kan onze tuin of het terras aanzienlijk mooier maken, daar het een belangrijk spel van kleuren en licht creëert. Het zwembad, dat zich op een zonnige plek moet bevinden en enigszins uit de wind, kan verschillende vormen hebben: rechthoekig, rond, in L-vorm, of al naargelang onze eigen fantasie. Wat echt belangrijk is, is het kiezen van een geschikte deklaag. Mozaïek en pvc zijn waterbestendig. Andere mogelijkheden zijn glas, harsplavuizen en verf, wat het goedkoopste materiaal is.

In warme zomers zullen we veel buiten zijn en ons lichaam koesteren in de zon, of verkoeling zoeken in de schaduw van een zuilengang, een zonnescherm, een pergola of een prieel. Het is zeer waarschijnlijk dat we, wanneer tijd en weer het toelaten, urenlang op het terras doorbrengen. Daarom moeten we het meubilair zorgvuldig uitkiezen, dat snel veroudert doordat het aan wisselende weersomstandigheden wordt blootgesteld. Het is dus duidelijk dat de weerstand van de materialen een beslissende factor is bij de keuze.

De meest gebruikelijke meubelen voor een terras zijn stoelen, ligstoelen, fauteuils en tafels. Hun design en kleur zijn zeer divers. Het is raadzaam een keuze te maken voor meubilair dat niet te veel verschilt van de meubelen in de woning, vooral wanneer het terras een verlengstuk is van de eetkamer of

de zitkamer. Het scala aan materialen is eveneens zeer uitgebreid. We kunnen kiezen uit metaal, zoals aluminium of ijzer, dat bestand is tegen zonnestralen. Ook houtsoorten, zoals teak, beuk, green of es worden vaak gebruikt; de laatste drie zijn tamelijk fijn. Ook hars is een optie; het is zeer sterk en kan met water en zeep worden schoongemaakt. Als we beklede stoelen willen, moeten we er rekening mee houden dat een katoenen canvas warmtebestendig is, maar een stof van katoen of polyester het aangenaamst aanvoelt. Een ander materiaal waar velen voor kiezen zijn plantaardige vezels, zoals rotan of riet. Deze zijn tamelijk broos, maar makkelijk schoon te maken.

De meeste mensen hebben een terras dat een verlengstuk is van het interieur van hun appartement, en slechts weinigen beschikken over een terras dat door tuin is omgeven. Dit verschil is belangrijk, want beide terrassen vereisen een andere inrichting. Op een terras zonder tuin willen we een rustplek creëren, een plek die niet zo dicht is als het appartement binnen. Daarom zetten we er planten en meubelen voor buiten op. Een terras met tuin hoeft daarentegen niet vol planten te worden gezet, aangezien er dan al genoeg groen in de tuin staat. Het is beter het terras in te richten met enkele meubelen die in overeenstemming zijn met de zitkamer. Als het interieur van de woning bijvoorbeeld in een rustieke stijl is uitgevoerd, is het ideaal dat de terrasmeubelen van teakhout of plantaardige vezels zijn vervaardigd. Ook de ruimte op het terras kan op verschillende manieren worden ingericht. Een zeer frequente en functionele opzet is twee gedeelten te maken: een als eethoek en een andere als zithoek.

Er is niets aangenamers dan in de zomer in een aantrekkelijk hoekje samen met familieleden of goede vrienden te eten of een gesprek te voeren. Als we een terras hebben dat aan de straatkant ligt en we toch onze privacy ten aanzien van buren en voorbijgangers willen behouden, zijn planten de meest efficiënte oplossing. Een andere, zeer aantrekkelijke mogelijkheid die een buitengewone afwerking aan het huis geeft, is een galerij. Het beschermt ons bij slecht weer en biedt een oase van rust.

Het architectonische element in klassieke stijl sluit
het zwembad af van de rest van de tuin en geeft
deze ruimte de romantische persoonlijkheid van
een villa in renaissancestijl. (links)

Water als middelpunt

Wanneer het mogelijk is een zwembad bij het
huis te installeren, zijn er vele originele
oplossingen om het bad in de tuin te integreren.
Het contrast tussen het water en de
bouwmaterialen kan heel gedurfde effecten
geven, maar ook traditioneel blijven.

Het strakke gazon en het
blauwe water doorbreken
de monotonie van het
groen. Deze combinatie
staat voor eenvoud op
zoek naar ontspanning.

Het zwembad krijgt een
eigen persoonlijkheid door
het contrast tussen de geometrische vormen en het
materiaal. De onregelmatige
vormen van de waterlijn en
het gazon contrasteren met
de rechte lijnen en het
sobere karakter van het hout.

De architectuur van deze hut, die
volledig in hout is uitgevoerd, zorgt
voor een geheel dat is afgestemd
op de vloer langs het zwembad.
De witte canvasstructuren vallen
op als belangrijkste detail.

Zwembad in T-vorm,
voorafgegaan door een galerij
die zich naar het water opent. In
de constructie, werk van
Siegfried Wagner, is een oud,
Spaans-Arabisch
bevloeiingskanaal benut. (rechts)

Dit zwembad is gebouwd binnen een oude villa, werk van Giovanni Melillo. De muren van natuursteen en het grasperk vormen de directe omgeving van het water en integreren dit geheel volledig in de klassieke architectuur.

Het terras is niet overdekt met een vast element, maar heeft wel het orginele uiterlijk van een serre behouden. Het is ontworpen met een zekere verhoging, afgesloten met planten en overdekt met een luifel. Het blijft de antichambre van de woning en creëert een doorloop naar de tuin. (links)

Zuilengalerijen

De terrasgalerij ligt op een licht verhoogde plaats en vormt een ongedwongen, rustige plek voor gezellige, informele bijeenkomsten. De overdekking is vaak een horizontaal vlak dat deze ruimte volledig afdekt en tegelijkertijd de ingang van het huis beschermt. Hiervoor kunnen verschillende materialen worden gebruikt. De galerij krijgt een bijzonder karakter wanneer er zuilen worden gebruikt om de overdekking te stutten.

Opvallende galerij naast een zwembad, werk van Alberto Aguirre. Door de nabijheid van het water bij het terras kan men genieten van de ontspannende effecten van het water in een zeer levendige ruimte.

Deze terrasgalerij heeft een klassieke structuur en vormt een eetkamer die bijna compleet in de openlucht is.

Door de aanwezigheid van het grote gazon krijgt deze galerij het karakter van een tribune waar ongedwongen, ontspannen gesprekken kunnen plaatsvinden. (links)

Klassieke galerij met balustrade langs de gehele architectuur van de woning, uitgevoerd in wit. Dit type ruimten staat dichter bij de woning dan bij de tuin, hoewel de inrichting ervan gericht is op het groen in de tuin.

Terrasgalerij met een interieur in koloniale stijl. Er is verder geen specifieke architectuur, maar deze is vervangen door een structuur van metaal en canvas. (links)

Halfoverdekte terrassen

Terrassen zijn constructies die van de meest uiteenlopende materialen zijn vervaardigd. Het zijn ruimten waarin planten en bloemen altijd zeer goed staan. De onregelmatige schaduw-effecten worden verkregen met behulp van daken in geraffineerde materialen, die zeer bestand zijn tegen gure weerstomstandigheden.

Een overdekking van natuurvezels vóór de galerij creëert een doorlooruimte tussen het huis en de binnenplaats.

Deze witte pergola, uitgevoerd in een klassieke stijl, heeft een afwerking die een lichte Grecoromaanse stijl suggereert, met details zoals het gedecoreerde kapittel van de zuilen.

Dit is een halfopen overdekking van houten planken. De ruimte krijgt zo een heel eigen karakter. Dankzij de zogenaamd tropische vegetatie en de levendige kleuren van stoffen en bekleding is een interieur met een exotische sfeer ontstaan. (rechts)

Hoekdetail. De levendige rood- en geeltinten geven dit terras een exotisch uiterlijk, versterkt door het intense groen van de planten. (links)

Dit terras is uitgevoerd in onbewerkt natuur-hout. De regelmatige verdeling van de boom-stammen van de halve overdekking verzacht de inval van het zonlicht op tafel en bankstel.

Deze overdekking is gemaakt van riet en houtstronken die op rudimentaire wijze zijn vastgebonden. Bij dit type structuren kan de hoeveelheid gefilterd licht snel wijzigen en een ruimte gecreëerd worden met een traditioneel en eenvoudig karakter.

Teklassic fabriceert deze tuinset met rechte, functionele lijnen waarin de warmte en duurzaamheid van het hout de boventoon voeren. (links)

Tuintafels

Tuintafels vormen het meest discrete en functionele element van het terras en dienen tegelijkertijd als eethoek, salontafel en opbergmeubel. Hier komt iedereen samen, het is het belangrijkste punt van de zithoek.

Set van Teklassic in metaal met een tafelblad van mozaïek. De decoratieve combinaties van het mozaïek vergroten de mogelijkheden van de tafel en maken deze tot het belangrijkste voorwerp van het geheel.

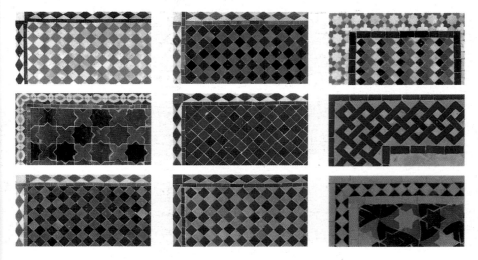

Deze tafel van de collectie *Victoria* van Hugonet is uitgevoerd in metaal en glas en geeft blijk van een solide, rationeel ontwerp dat tegen elk klimaat bestand is zonder aan sobere elegantie in te boeten.

Detail van de serie *Victoria* van Hugonet, vervaardigd van metaal en glas. Dankzij de ovaalstructuur kunnen er meer mensen aan de tafel plaatsnemen en is er zo min mogelijk ongebruikte ruimte.

Rechthoekige tafel *Cornwall* van Garpa. De veelzijdigheid van dit ontwerp met rechte hoeken verdubbelt de omvang van de tafel dankzij de uitschuifplaat die erin is opgenomen. Detail van het uitschuifsysteem.

Uitschuifbare, rechthoekige tafel uitgevoerd in teakhout. Het canvas van de regisseurstoelen, in nyatohhout, is vervangbaar, wat de veelzijdigheid van deze tuinset zeer ten goede komt. (onder)

Dienstkarretje uit de collectie
van *Habitat* waarmee alle
benodigdheden voor een
maaltijd op het terras vervoerd
kunnen worden. (links)

Bijzettafels

Als begrensde ruimte en vaak de enige plek buitenshuis,
moet het terras aan te passen zijn aan de verschillende
veranderingen die zich dagelijks voordoen. Een van de
antwoorden hierop was de ontwikkeling van een
uitgebreid scala aan bijzettafels en -stoelen die
makkelijk te verplaatsen en op te bergen zijn.

Tafel *Teklassic* uitgevoerd in
donker teakhout.

Flessenkoelkast *Reims.* Het
meubelstuk is uitgevoerd in
teakhout met polypropenen
binnenkant en heeft een
capaciteit voor twaalf flessen.

Opklaptafeltjes van Habitat uitgevoerd in teakhout. Ze nemen nauwelijks ruimte in beslag en zijn makkelijk te verplaatsen.

Het karretje *Richmond*, van Teklasssic, heeft verscheidene laden en accessoires die de functionaliteit vergroten. (links)

Tuinstoelen

Bankje uit de serie *Atlantic* van Hugonet. Comfort en esthetiek met een minimalistische afwerking. (rechts)

Tuinen en terrassen zijn deel uit gaan maken van het huis en vormen een geheel dat aan decoratieve en ornamentale criteria is gebonden. Daarom is de aandacht voor tuinmeubelen als esthetische voorwerpen toegenomen. Tegenwoordig worden modellen aangeboden die in overeenstemming zijn met de meest gevarieerde tuinstijlen.

Model *Sissinghurst*, van de firma Teklassic, is een replica van het origineel dat in de National Trust Gardens van het kasteel van Sissinghurst, Engeland, te bezichtigen is.

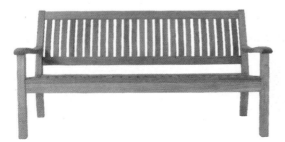

De zitbanken en fauteuils *Manor* zoeken een maximum aan comfort door zitting en rugleuning te omlijnen, wat het geheel een zeer functionele esthetiek geeft.

De ronde *Glenham*-bank is een creatie van Teklassic. De sobere lijnen en de natuurhouten afwerking integreren de bank in het landschap en geven het geheel daardoor een intiem karakter.

Detail van de *Glenham*-zitbank, in ronde, hexagonale vormen.

Detail van de *Glenham*-zitbank in hoekvorm.

De serie *Glenham*-banken van Teklassic kan ook in een hoekvorm worden opgesteld en zo in de begroeiing een ruimte afbakenen.

Hugonet fabriceert dit ontwerp van vierkant zeil waarin de afwerkingsdetails zoals de totale uitvoering in wit of de bol die boven de as uitsteekt opvallen, wat de parasol erg elegant maakt.

Parasols

Het bereik van de parasol omsluit een ruimte die door een spel van licht en schaduw ontstaat. De parasol heeft een verzorgd design en beantwoordt aan de functionele eisen, zoals optimale bescherming tegen het klimaat.

De rechtgetrokken stof staat centraal in deze parasol van Roland Vlaemynck, uitgevoerd met een frame van donker hout en gekleurd doek.

Een terras in tropische sferen met een parasol die de natuurlijke structuur van de bomen en de palmbomen lijkt te reproduceren. (rechts)

Deze parasol is uitgevoerd in lichtgetint hout in combinatie met een wit doek. Het doek is niet tussen de stokken van de parasol gespannen, wat een simplistische en originele esthetiek creëert. (links)

De parasol zonder middenvoetstuk heeft een technische ontwikkeling doorgemaakt en is een zeer functioneel en esthetisch ontwerp geworden. Creatie van Roland Vlaemynck.

Dit zonnescherm komt uit de collectie *Patio Bois* van Teklassic en is uitgevoerd in wit met een houten structuur.

Dit terras naast een zwembad heeft rechte lijnen. De heldere, witte kleur van het canvas contrasteert met het groen van de beplanting.

Rustieke sfeer voor een zwembadterras. De parasol zorgt voor een intiem effect op de stoelen en de tafel. (rechts)

Het blauwe canvas van deze parasols zorgt voor eenheid met de kleuren van het zwembad. (rechts)

Tuinstoelen met verstelbare rugleuning

Ze staan voor comfort op terrassen en in tuinen: stoelen en tuinstoelen met verstelbare rugleuningen zijn tuinmeubelen die onder strenge criteria van comfort en esthetiek zijn ontworpen.

Detail van de teakhouten structuur. Model *Commodore* van Teklassic.

Stoel met verstelbare rugleuning, uitgevoerd in aluminium en stof, met twee teakhouten armleuningen. Het model *Sunset* heeft een verstelmechanisme dat de stoel, dankzij de voetensteun, in een ligstoel verandert.

Fauteuil *Commodore* met verstelbare rugleuning en voetensteun. Klassieke ligstoel met beslag van gepolijst brons.

Het belang van de kleur wit in de stoffen voor terrassen en tuinen voldoet aan functionele criteria: het houdt warmte tegen en is makkelijk met andere voorwerpen te combineren. (rechts)

Habitat presenteert ontwerpen waarbij eenvoudige,
comfortabele constructies
worden gecombineerd met
functionele esthetiek en
originele details.

Ligstoel uit de serie *Atlante*
van Hugonet, uitgevoerd in
metaal en stof.

Verrassend ontwerp,
uitgevoerd in teakhout
voor Habitat. De designlijnen
suggereren functionaliteit en
duurzaamheid.

Teak, roestvrij staal en canvas zijn de drie elementen waaruit deze zeer eenvoudige ligstoel *Riviera* bestaat.

El Patio De Marta tekent voor deze ligstoel in eenvoudige, functionele vormen. De vele posities en de combinatie van hout en wit maken een element dat voor elke combinatie perfect is.

Ligstoel uitgevoerd in teakhout door de firma Van Notten. De houtstructuur met verticale lijsten is een klassieker op terrassen en in tuinen. (rechts)

Natuurvezels

Bij de vormgeving van tuinelementen die zijn vervaardigd van natuurvezels, zoals rotan of riet, worden details en nuances gebruikt die dit meubilair dichter bij de plantaardige oorsprong brengen. Daarbij ontstaat een sfeer van gecoördineerde natuurlijkheid. Dankzij de karakteristieken van op de juiste wijze bewerkte vezels kunnen rugleuningen en zitting worden gemodelleerd tot ronde, ergonomische vormen, wat deze meubelen tot zeer comfortabele stukken maakt.

Habitat presenteerde in de lente-zomercollectie 1999 deze stoel, die op basis van een rotanvlak is ontworpen. Door de eenvoud vormt het gemodelleerde vezel een element van ononderbroken lijnen.

De serie *Loom* van Teklassic structureert eenvoudige vormen in een zeer comfortabel design. Door het lichte gewicht zijn de stoelen nog veelzijdiger en kunnen ze makkelijk worden verplaatst.

Jubilee

Contract

Diamante

Mission. De modellen zijn uitgevoerd door Teklassic in een zeer comfortabel, eenvoudig design.

De rijke nuances die de vervlochten vezels creëren, maken combinaties van diverse stijlen en materialen mogelijk. (links)

De vormen van de bankstellen doen denken aan het ontwerp van de klassieke *Chesterfield*.

Metaal op het terras

Dankzij de technische vooruitgang is een aanmerkelijke ontwikkeling ontstaan in de metalen tuinmeubelen. Niet alleen worden nieuwe legeringen toegepast, ook zijn er nieuwe bewerkingsprocessen gekomen die de duurzaamheid van de traditionele metalen verlengen. Daarnaast zijn alle lijnen in het algemeen lichter gemaakt. Gietijzer heeft de rustieke stijl ontvlucht en staat tegenwoordig lichtere en doorzichtigere creaties toe. De tuinelementen die vervaardigd zijn van metaal, zijn nog steeds sterk en duurzaam, maar voegen design en functionaliteit aan hun kwaliteiten toe.

Kleurig voorstel van Hugonet voor dit model *New York*. De structuur van deze stapelbare stoel is uitgevoerd in metaal en canvas.

Stoel *Croisette* van Teklassic. Het ijzer is gesmeden in een model in een duidelijk klassieke stijl waarin de donkere kleur van het metaal contrasteert met het witte kussentje.

Stoel *Croisette* in een ontwerp dat is uitgevoerd in een mat saffraangele kleur.

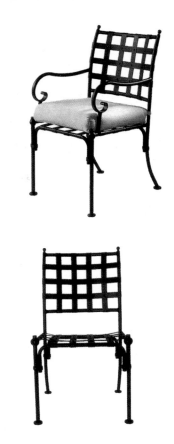

Detail van de stoel *San Diego* van Teklassic. Deze versie heeft armleuningen.

Collectie *San Diego* van Teklassic. Deze firma heeft tijdens de Internationale Beurs van Chicago een Oscar gekregen voor de beste collectie ijzersmeedwerk en voor de afwerking en het design van hun creaties.

Detail van de chaise longue *Palma* van Teklassic.

De rechte vormen, de combinatie van grijs en mat zwart en de bijzondere indeling van het geheel scheppen de sfeer bij deze elegante zitkamer in de buitenlucht. Het design is van Hugonet. (links)

Stoel uit de collectie *Atlante* van Hugonet. De combinatie van blauw- en wittinten en de rechte lijnen van de vormen luisteren het bijzondere karakter op.

Stoel *Malibú* van Hugonet. Functionaliteit en eenvoud in een ontwerp met een originele esthetiek.

Soberheid en elegantie in een tuinset die is uitgevoerd in donkergroen en wit.

Hout en metaal

De combinatie hout en metaal staat voor kracht
en warmte. De kracht zit in de structuur die,
uitgevoerd in metaal, de duurzaamheid van het
meubel verzekert. De afwerking wordt uitgevoerd
in hout en houdt zich aan de normen voor
comfort en stijl. Direct contact met hout voelt
aangenamer aan dan contact met metaal.
Kussentjes en canvas zijn dan ook overbodig.
Zo wordt het esthetische resultaat van de
combinatie van tinten en stoffen optimaal benut.

Tafel van Hugonet, met een witte laklaag en een geperforeerd, houten blad.

Detail van de
stoel met
armleuningen,
uit de collectie
Fontenay
van Garpa.

De klassieke en
comfortabele
vormen van
deze set *Fonte-
nay* van de
firma Garpa,
combineert mat
zwart metaal en
natuurlijk hout.
(rechts)

Collectie *Atlante* van Hugonet. Eenvoud van vormen in een geheel dat gelakt metaal combineert met houtdetails die de set een elegant karakter geven. (links)

Monterrey is een tuinset van Teklassic in aluminium en teakhout. De verwerking van hout in de rugleuning, de zitting en de armleuning biedt comfort.

Absolute eenvoud in enkele klapstoeltjes, uitgevoerd in metaal en hout. Het is een oplossing voor tuinen van geringe afmetingen.

Hout

Hout wordt beschouwd als een van de meest traditionele materialen voor de productie van tuinmeubilair en heeft enkele optimale kwaliteiten betreffende duurzaamheid en hanteerbaarheid. Daardoor kunnen ontwerpen van grote kwaliteit en esthetiek worden gemaakt. De huidige tendensen op het gebied van houten meubelen volgen een koloniale traditie, met toevoeging van zeer sterke, exotische houtsoorten die weinig onderhoud vereisen. De eigenschappen van hout zetten aan tot klassieke ontwerpen met een tijdloos karakter. Het gaat dan ook om duurzaam meubilair.

Babaco is een hangstoel van massief nyatoh-hout in oliefinish, ontworpen voor de collectie '99 van Habitat. De indeling van de spijlen, op nylonbanden, zorgt voor een functioneel, aantrekkelijk meubelstuk.

Tecdeco set van Roland Vlaemynck. Het hout krijgt een ruwere behandeling en geeft de indruk solide te zijn.

Collectie *Iruba* van Grosfillex. Praktisch en functioneel, met houtafwerking, uitgevoerd in lichte tinten: dit geheel brengt een gevoel van warme elegantie over. (rechts)

Tuinset *Walden* van de firma Lister. Het klassieke design van de tafel en de stoelen zorgt ervoor dat de stijl alle modes en tendensen overstijgt. Deze sterke teakhouten meubelen zullen altijd actueel blijven.

Esterel is een combinatie van Roland Vlaemynck in teakhout en wit canvas. De afwerking geeft een gevoel van horizontaal-zijn door de inrichting van de rugleuning van de stoelen, de tafel en de parasol.

Set met zeer strakke, rechte lijnen en solide esthetiek. De donkere tinten waarin deze set is uitgevoerd en de soberheid van het ontwerp geven het een bijzondere elegantie.

Door de huidige ontwerpen voor tuinmeubilair kunnen deze elementen in binnenruimten vlak naast het terras worden gebruikt.

Dienstkarretje van de
firma Habitat. Het
ontwerp is volledig
uitgevoerd in hout,
inclusief de wieltjes,
die een zeer veelzijdig
en dynamisch design
vertonen.

Detail van de stoel *Esterel* van Roland Vlaemynck.

Detail (voorzijde) van de fauteuil *Kent* van Teklassic, met en zonder armleuningen.

De zitbank *Ashburnham* is een ontwerp van de Engelse firma Lister. De verticale, zeer solide vormgeving van dit meubelstuk geeft het een zeer bijzonder karakter. Daardoor kan het in elke hoek van de tuin apart worden neergezet.

Plastic materialen

Terrasensembles die van hars of plastic zijn vervaardigd, bieden een grote variëteit aan ontwerpmogelijkheden dankzij de flexibiliteit van deze materialen. Kleuren, vormen en structuren zoeken een functionele, comfortabele esthetiek in deze tuinsets, die tevens bestand moeten zijn tegen gure weersomstandigheden en makkelijk te onderhouden moeten zijn.

Ligstoel *Fidji Evolution* van Grosfillex, uitgevoerd in Baltisch blauw. Aan het grote comfort van dit element is een handige lade toegevoegd die onder de rugleuning is verborgen.

Roland Vlaemynck presenteert de tuinmeubelen *Rovergarden*. Ensemble gevormd door tafel *Toce Clásica* en klapstoel *Cellina*. Beide meubelstukken zijn gemaakt van massief kunsthars.

Set van Grosfillex, uitgevoerd in groengeverfde hars. Het belangrijkste kenmerk van tuinmeubelen die van hars zijn vervaardigd, is hun grote comfort dankzij de multipositionele systemen. (rechts)

Grosfillex tekent
voor deze set
Classic Fidji.
Een verzorgde
vormgeving die
groot comfort
biedt dankzij een
twee-positie-
systeem in de
fauteuils. (links)

Master ligstoel
van Jardiland.
Klassiek ontwerp
voor een
comfortabele
ligstoel voor bij
het zwembad.

Stoel *Acadia* van Grosfillex met een in vier posities verstelbare rugleuning.
Het geheel wordt aangevuld met de tafel *Vega*, uitgevoerd in groen en graniet.

Canvas

Het canvas en de kussens van tuinsets zijn
functioneel, esthetisch en zuinig. Ze zijn
geschikt voor elk soort terras. Voor canvas
kunnen levendige kleuren worden toegepast
die de monotonie van het hout doorbreken
om zo een meer ongedwongen, veelzijdige
vormgeving te verkrijgen. De meeste meubelen
die in dit materiaal zijn uitgevoerd, zijn
opklapbaar.

Jardiland presenteert een set, uitgevoerd
in hout met groen canvas. De bekleding
van de stoelen is te combineren met
details als vitrages en vloerkleden.

Bass Chair is een
creatie van
Jardiland
uitgevoerd in
donkerrood
marantihout met
acryl canvas. Het
onderste deel van
de stoel heeft een
elastische
structuur, die
stabiliteit en
comfort geeft.

Roland Vlaemynck
presenteert een
geheel van grote,
lineaire eenvoud,
uitgevoerd in
teakhout
met acryl
canvasvulling.
(rechts)

Detail van de klapstoel
van Roland Vlaemynck,
uitgevoerd in wit acryl
canvas.

Klapstoel uitgevoerd in teakhout,
met acryl canvasvulling. Het acryl
canvas verzekert een verfkwaliteit die
niet door zonlicht wordt aangetast.

Bass Chair is een creatie uitgevoerd in donkerrood marantihout met acryl canvas. Het onderste deel van de stoel heeft een elastische structuur die stabiliteit geeft.

Stoel *Safari* van Teklassic uitgevoerd in hout en canvas. De collectie, uitgevoerd in natuurlijke tinten, zoekt een combinatie met de bestaande kleuren in de tuin.

Deze originele tafel is uitgevoerd op basis
van een gigantsiche klos voor
industriekabels, met daar omheen levendig
gekleurde stoelen, wat een zeer aangenaam,
vrolijk karakter uitstraalt. (rechts)

Kleurgevoelige terrassen

Geverfd hout, canvasconstructies, zeilen, plan-
tenbakken, etc. De tuinelementen die met levendige, intense kleuren zijn uitgevoerd, bieden
een zeer ongedwongen, ontspannen vormgeving
die het bijzondere karakter van het terras als
vrijetijdsruimte versterkt. De verscheidenheid
aan gebruikte materialen in tuinmeubilair en
tuincomplementen zorgt voor ontwerpen die
goed tegen zonlicht en barre weersomstandigheden bestand zijn.

De stoel *Loom*, uitgevoerd in
groengeverfde natuurvezels.
De firma Kettal vernieuwt een
klassieker in terrasmeubilair.

Set *Deco* uitgevoerd in rood-
geverfd gietaluminium. De firma
Kettal biedt een esthetisch
ensemble in modernistische stijl.

Kleurgevoelige terrassen

Tuinset uitgevoerd in hars, door de firma Kettal. De bamboe- en kokostinten combineren perfect met elkaar en zorgen voor een zeer comfortabele afwerking. (links)

Bijzondere set van Roland Vlaemynck, uitgevoerd in een blauw/groencombinatie. Deze twee tinten zijn zeer geschikt voor terrassen die vlak bij een zwembad liggen, omdat ze de kleurschakeringen in het water weerspiegelen.

Juiste proporties voor een terras waarin de tinten van alle deelelementen opvallen.

Geverfd gietaluminium is het basismateriaal van deze stoel van Kettal. De duidelijke klassieke stijl van deze collectie wordt aangevuld met een met plantmotieven bekleed kussentje. (rechts)

Kruik *Mekony*, bloempotten *Oval* en fruitschaal en kan *Nemo*, alle uit de Habitat '99 collectie. Het zijn details die kleurnuances geven aan het terras.

Deze set is vervaardigd van hout en oranjekleurige stoffen die met de details van het bloemornament combineren.

Kleurige combinatie op een
terras in rustieke stijl. De
intensiteit van de roodtinten
contrasteert met de groene
planten. (links)

Details van de bloemen die
afgestemd zijn op het tafelkleed
voor de tuintafel van Jardiland.

Mooie set uitgevoerd in teakhout
en geeltinten. De bloemen
passen bij de bloembakken
en de bekleding.

Helder wit

De kleur wit is een klassieker voor terrassen en is de weerspiegeling van helderheid en een ontspannen, reine vormgeving.
Wit is zeer veelzijdig: het kan worden gecombineerd met alle tinten die buiten te vinden zijn en het is tegelijkertijd eenvoudig te onderhouden omdat het makkelijk is schoon te maken en niet verkleurt door het zonlicht.

De parasol, uitgevoerd in wit acryl canvas, geeft een eigen ruimte aan deze combinatie van Roland Vlaemynck.

Bloembakstructuur uitgevoerd in wit lakhout met een grote, esthetische lichtheid.

Terras ingericht op basis van het horizontale vlak van het gebouw. De witte tint van de muren en vloeren biedt een zeer dynamische afwerking. (rechts)

Model *Classic Menorca* van Kettal,
uitgevoerd in natuurvezel met blauwe
en witte stoffering. Romantische
esthetiek voor een ensemble met
duidelijk traditionele kenmerken.

Combinatie, volledig in wit uitgevoerd. Hars,
stof en lakmetaal zorgen voor een
monochrome, lichte, heldere afwerking.
Compositie van Roland Vlaemynck.

De stoel *Mondrian* is uitgevoerd in Afrikaans teakhout door Kettal. De combinatie van de kleur wit met het lichte hout biedt een verfijnde, zeer zuivere esthetiek. (links)

Deze comfortable compostitie is uitgevoerd in riet met witte stoffering. Het lichtspel en de bewerkte materialen zorgen voor kleurnuances met een grote betekenis.

Een nieuwe compositie uit bast en polster. Het gaat om een compositie voor buiten. De veranda dient als eetkamer voor de zomer.

In blauw

Samen met wit en houttinten is de kleur blauw een klassieker in de tuinarchitectuur. Canvas, plastic materialen of zelfs geverfde houtsoorten proberen door middel van de kleur blauw de zee of het zwembad op natuurgetrouwe wijze te weerspiegelen. De keur aan elegante, intense blauwtinten die momenteel op de markt verkrijgbaar is, geeft tuinen en terrassen een zeer Mediterraan karakter.

Blauwe combinatie als weerspiegeling van het zwembad dat centraal staat in deze buitenruimte.

Deze set is uitgevoerd in nyatoh-hout met blauw canvas. Het zijn drie klassieke tinten in een perfecte combinatie voor buiten.

Blauwtinten voor een terras met een markant Mediterraan karakter. De helderheid van het wit combineert perfect met het koele blauw. (rechts)

Planten in de hoofdrol

Begroeiing deelt tuinen en terrassen in en vormt
de verdeling die de ruimten suggereert waar men
de tuinmeubelen kan neerzetten. Met kleine
verschillen, kleuren en vormen is het ontwerp van
tuinen een kunst met duizend en één mogelijkheden. Tegelijkertijd is zo'n ontwerp aan zeer veel
voorwaarden gebonden; het eindresultaat is uniek
en eenmalig. Hierdoor kan een tuinindeling
worden gecreëerd met eethoeken, wandelpaden
of zelfs ruimte om te baden.

De rommelige achtertuin contrasteert met
de verticale lijnen van de twee bomen aan
weerszijden van de ingang tot deze ruimte.

Zitbank uitgevoerd
in metaal door Sia
El Mercado De
Flores. Het ontwerp
van vele tuin-
meubelen is een
weerspiegeling van
de omringende
begroeiing.

Ensemble *Balmoral*
van Teklassic. De
doorzichtige
stoelen hebben een
discreet karakter
waarin de tuin-
begroeiing de
boventoon voert.
(rechts)

Vooraanzicht van een pergola, uitgevoerd in hout en metaal. De eenvoud van de bovenstructuur doet denken aan het etherische concept van de boomtakken. (links)

Het bamboe structureert een ruimte waarin de kleurcontrasten de esthetiek opluisteren.

De structuur die de begroeiing vormt, kan bestaan uit duizenden details of simpelweg uit één element dat alle visuele aandacht trekt. Een grote boom en een vijver wedijveren om de hoofdrol in dit rustieke buitenlandschap.

De bloemen beginnen de muren van dit afdak te bedekken. De interactie tussen architectuur en begroeiing lijkt de belangrijkste inspiratiebron voor architecten te worden.

Oude gebruiksvoorwerpen kunnen elementen worden met een grote decoratieve betekenis. Deze romantische kruiwagen contrasteert de matte tinten van het oude hout met een bloemcompositie vol details.

Stoelen voor buiten, uitgevoerd in metaal. De ingewikkelde lijn die de metalen buis volgt bij de vorming van de stoelen, is een poging de opvallende, complexe begroeiing van deze tuin te weerspiegelen. (rechts)

Decoratieve voorwerpen

Bloempotten en -vazen zijn aanvullende decoratieve voorwerpen voor op het terras. Ze geven uw terras iets extra's, wat ze onontbeerlijk maakt. Het belangrijkste kenmerk van deze decoratieve accessoires is hun esthetische betekenis. Ze geven de ruimte buiten een persoonlijker karakter en vergroten de esthetische mogelijkheden.

Langgerekte, conische bloempot uitgevoerd in hout, door Jardiland.

Originele bloembakken uitgevoerd in riet en vastgezet in een metalen structuur, van de firma Sia. (rechts)

Detail van de kegelvormige bloembak van Jardiland, uitgevoerd in verschillende afmetingen.

Groene bloemenvaas van de firma Jardiland. De kleurschakering van dit element contrasteert met de kleur van het teakhout waarvan deze tafel is vervaardigd.

Jardiland presenteert deze collectie
van vazen, uitgevoerd met een
zinkafwerking. (links)

Vaas en
bloempotjes
van keramiek,
van Jardiland.

Rechthoekige
opklaptafel van
teakhout,
waarop een
aantal decora-
tieve bloem-
potten staan.
De emmer in
donkere tinten
contrasteert
met het
lichtgekleurde
geheel.
Jardiland.

De achthoekige tafel is gedecoreerd
met een aantal vazen die zijn
gemaakt van vezel en hout. Jardiland.

Deze bloempotten, van Sia, met
voetstuk, hebben een elegante
kleurcombinatie.

Op een
werktafel staat
een aantal
bloempotten
van aardewerk
en geverfd
keramiek dat
met de metalen
elementen en
het witte hout
van het
meubelstuk
contrasteert.
(links)

Bloempot met
antieke afwerking.
Van Teklassic.

Verlichting

In de ideale situatie zouden we de verlichting gelijk met de rest van het interieur moeten behandelen. Het is beter bij het begin te beginnen, wanneer er nog geen meubelen zijn en nog niet met de inrichting is begonnen. Voordelen: het is makkelijker elke ruimte in de kamer vast te leggen; de electriciteitsinstallatie kan volledig worden aangelegd; men bereikt een harmonischer resultaat met minder werk; en u kunt zich geld besparen.

Normaal gesproken bewaart men bij de inrichting de verlichting tot het laatst of beschouwt men het als een apart proces. Maar in beide gevallen zou de verlichting van ons interieur geen problemen moeten opleveren, zelfs al hebt u van te voren niets vastgelegd. Als men zich aan enkele kleine regels houdt, is het makkelijk een verlichtingsconcept te ontwerpen dat maximale zekerheid biedt.

Het is raadzaam eerst de plattegrond van de verdieping te bekijken. De architectonische indeling zorgt ervoor dat we een algemeen beeld kunnen vormen van hoe we elke kamer willen verlichten. Vervolgens stellen we vast hoeveel natuurlijk licht er overdag beschikbaar is. Uiteindelijk bepalen we aan de hand van het meubilair en de beschikbare ruimte, welk soort verlichting we nodig hebben.

Licht is het meest veelzijdige element van alle elementen die een kamer inrichten. Maar in het interieur staat kunstlicht niet op zichzelf, ook natuurlijk licht kan zeer nuttig zijn mits we de effecten ervan beheersbaar weten te houden. Per slot van rekening wordt onze woning voor het grootste gedeelte van de dag verlicht met natuurlijk licht. Natuurlijk licht geeft levendigheid aan de kamers in onze woning, verandert de kleuren in de loop van de dag en varieert eveneens naar gelang het jaargetijde. Laten we ons dus concentreren op de ruimtelijke ordening en bepalen waar het licht vandaan komt dat via ramen en deuren invalt, en laten we proberen er het maximale voordeel uit te halen.

Stel dat we een juiste analyse hebben gemaakt van de natuurlijke verlichting in ons huis. Voordat we voor een of ander type kunstlicht kiezen, is het echter handig te weten dat verlichting ook dient om sfeer te scheppen. Zo straalt fel licht energie uit en zet het aan tot werken of andere energieke activiteiten. Een zwak licht zorgt ervoor dat we ons ontspannen. Het moet echter niet overdreven gedimd zijn, anders kunnen we in slaap vallen. Bij overdreven sterk licht wenden we ons hoofd af in een andere richting en voelen we ons lichamelijk en geestelijk niet op ons gemak. Ook duidelijke licht/schaduwcontrasten kunnen zeer speciale sferen creëren, maar zijn zeer vermoeiend als ze te veel worden benadrukt.

Er zijn drie soorten verlichting waaruit we kunnen kiezen en waarmee de meeste combinaties mogelijk zijn: algemene verlichting, voor een min of meer uniform licht; plaatselijke verlichting die gebruikt wordt bij de uitvoering van specifieke activiteiten, zoals lezen of naaien; en sfeerverlichting, waarmee bepaalde delen van de ruimte of enkele bijzondere voorwerpen kunnen worden geaccentueerd.

Er zijn veel soorten lampen die allemaal voor verschillende effecten kunnen zorgen. Hanglampen geven een goede algemene verlichting, maar vervagen de schaduw en zijn niet erg geschikt voor bezigheden als lezen en naaien. De hoeveelheid effectief licht die ze produceren, hangt af van het type lampenkap dat wordt gebruikt en de hoogte waarop ze hangen. Tafellampen verlichten geconcentreerde delen en dienen richtbaar te zijn; ze kunnen licht omhoog of omlaag geven of in horizontale richting uitstralen, naar gelang het soort lampenkap. Staande lampen kunnen verspreid of gericht licht geven; sommigen zijn uitgerust met spots en kunnen worden gebruikt om voorwerpen te verlichten of bepaalde delen of voorwerpen op te lichten. Wandlampen worden gebruikt om licht naar het plafond of de vloer te richten. TL-lampen hebben een ruim, speciaal circuit nodig en zijn moelijk te verbergen, maar ze zijn zeer duurzaam en derhalve zuiniger dan normale gloeilampen. Er bestaan inmiddels zeer smalle miniatuurmodellen die makkelijk te verbergen zijn.

Spots zijn een goed voorbeeld van de tweeslachtige rol die lampen kunnen vervullen; het zijn in wezen functionele lichten maar kunnen ook dienen om sfeer te creëren. Je hebt ze voor gloeilampen, voor grote lampen met ingebouwde schijnwerper of voor halogeenlampen die een zeer smalle lichtbundel projecteren. Regelbare spots nemen op het plafond minder ruimte in dan ingebouwde spots. Wanneer ze onder het plafond worden geïnstalleerd om planten en hoekjes te verlichten, produceren ze perfect decoratieve effecten.

Licht in de woonkamer

De verlichting in de woonkamer is een van de belangrijkste in de woning. Om een homogeen, ontspannen
geheel te krijgen, moet het vanuit verschillende
gezichtspunten worden geïnstalleerd. Om dit aspect
te benadrukken, zijn er verschillende mogelijkheden
waarbij gebruik wordt gemaakt van systemen met
kleurlampen of van lampenkappen die de originele
kleur van de lamp veranderen. De lichtsterkte moet
geschikt zijn voor een ruimte die ingericht is voor gezellige bijeenkomsten. De huidige verlichtingssystemen
zijn uitgerust met technieken waarmee de lichtsterkte
regelbaar is en die een grote veelzijdigheid bieden. We
kunnen ook verschillende lampen in de woonkamer
neerzetten. Op deze manier kan het licht op die delen
van de ruimte worden gericht die in gebruik zijn, of
kan de hele ruimte worden verlicht.

Zitkamer met Mozarabische
invloeden, met een grote
klassieke hanglamp. De
aanvullende wandlampen
verlichten het plafond en
accentueren de verfijnde
plafondecoratie.

Het meubilair in deze zitkamer is tegen de muren
gezet om een grote middenruimte te creëren. Het
grote aantal lampen versterkt het gevoel van licht
en ruimheid voor deze woonkamer in jaren '30-stijl.

Deze boekenkast
heeft een originele
oplossing met een
zijblad dat uitsteekt
en tot een werktafel
is gemaakt. De lamp
structureert zich
volgens hetzelfde
concept en hangt
aan een verlengstuk
van de bovenste
legplank en vormt
zo een verticale as.
(rechts)

Een eenvoudige leeslamp verlicht het bankstel, dat is uitgevoerd in natuurvezels en hout. Deze ruimte heeft een sfeer die interesse toont voor natuurlijke materialen. (links)

Eet-woonkamer met twee delen die duidelijk worden gescheiden door de structuur van de grote boog die in de ruimte de boventoon voert. De verlichtings-elementen volgen enkele klassieke richtlijnen waaraan het rustieke karakter van de woning zich aanpast.

De verlichtingsstijl van deze eet-woonkamer weerspiegelt een decoratief karakter met klassieke smaak. De lichtschakering produceert een omhullend effect en versterkt het gevoel van warm comfort.

Deze grote zitkamer is verdeeld in drie onafhankelijke gedeelten. Elk van deze ruimten vervult een eigen functie. Derhalve is in elke kamer de verlichting anders.

De lampen van deze woonkamer zijn ontworpen op basis van kruiken in verschillende grootte, die afgestemd zijn met de klassieke ambiance van de ruimte. (rechts)

Twee tafellampen staan aan weerszijden van de architectonische structuur die centraal staat in deze ruimte. De verschillen tussen de twee lampen suggereren een hang naar onafhankelijkheid ten opzichte van de twee gedeelten.

De verlichting in deze zitkamer richt zich naar buiten en probeert daarbij de ruimte binnen af te bakenen met een spel van licht- en donkertinten.

Zitkamer in klassieke stijl in een ruimte met schuin dak. De verlichting wordt verzorgd door twee lampen die herinneren aan de oude carbidlampen. (links)

De lichte tinten in deze zitkamer geven blijk van interesse voor een lichte ruimte. Een bewijs daarvan is de invoeging van vele lichtpunten.

Detail van de hoek van de eet-woonkamer. De tafellamp projecteert een okerkleurig licht dat op de muren wordt weerspiegeld en daarbij het gevoel van warmte versterkt. Drie kleine lampen verlichten de voorzijde van dit antieke kantoormeubel dat tot een barmeubel is omgebouwd.

Originele staande lamp, uitgevoerd in natuurvezels. Door de eigenaardige vorm van een wijnglas neemt de lamp een opvallende plaats in de woonkamer in. (links)

De twee spots die direct licht geven, zijn aan de rugleuningen van deze ligstoelen bevestigd en produceren zo een zeer dynamisch effect.

Keukenverlichting

Verlichting is essentieel in de keuken. In deze combinatie is goed te zien hoe een lijn van spots in het plafond ervoor zorgt dat geen enkel hoekje slecht verlicht wordt. (links)

Dit verlichtingssysteem baseert de esthetiek op de technische compositie van de structuur, volgens de decoratieve stijl van het geheel.

De keuze voor de keukenverlichting is, naast de verlichting voor de werk- en studeerruimte, een van de meest ingewikkelde van een woning. Het systeem moet de ruimte verlichten en zich tegelijkertijd op de werkbladen richten. De lampen die traditioneel gezien het meest worden gebruikt zijn neonlampen en TL-buizen. Deze hebben een laag energieverbruik en een grotere duurzaamheid. In de huidige trends verdeelt men het licht en zoekt men het soort lamp dat voor elke ruimte geschikt is, volgens de criteria van functionaliteit. Halogeenlampen en industriële designlampen vervangen op esthetische en veelzijdige wijze de oude buizen met kil licht in de werkruimte.

De puntverlichting in deze ruimte richt zich op het werkblad van het keukenblok en de tafel. Het natuurlijk licht dat door het raam invalt, staat centraal in deze ruimte. Alleen 's avonds is kunstlicht vereist. Collectie Polo van Alta. (links)

Vooraanzicht van een kleine keuken waarin met zeer heldere materialen is gespeeld om zo een groter gevoel van ruimte te creëren. De afzuigkap heeft een eigen lampje en verlicht op perfecte wijze het aanrecht.

Een stadskeuken met vele kleuren. Het kunstmatige licht zorgt ervoor dat de kleuren en materialen beter uitkomen.

De lamp die aan het plafond hangt, overziet alle keukenelementen en geeft de keuken een comfortabel en praktisch uiterlijk.

Deze keuken in Cottage-stijl is verlicht door moderne halogeenlampen die contrasteren met de rustieke details.

De indeling van meerdere lichtpunten op de verschillende werkbladen geeft een contrasterend effect dankzij een spel van lichte en donkere tinten. Boven een tafel en aan het plafond is een hanglamp geïnstalleerd die het zitgedeelte verlicht. De decoratieve tafellamp op de keukenkast en de lamp boven de kookplaat geven samen met een sterke spot al het licht dat nodig is om in de keuken te werken. Bovendien verzorgen ze de verlichting voor de gehele ruimte.

Met de industriële designlampen die een reproductie zijn van de oude, aluminium en roestvrij stalen verlichtingssystemen van fabrieken en bedrijven, kunnen meerdere gelijksoortige meubelstukken worden ingericht zonder dat ingewikkelde installaties noodzakelijk zijn.

De verlichting van deze keuken, in een appartement in het Olympisch dorp in Barcelona, ontworpen door Josep Juvé, wordt bepaald door een reeks aaneengesloten gloeilampen in verschillende vormen en kleuren die een originele sfeerverlichting geven. (links)

De Provençaals-rustieke inrichting van deze keuken weerspiegelt zich in een eenvoudige designlamp, met industriële vormen en een afwerking van doorzichtig glas.

Er zijn hier verschillende lichtpunten voor de verschillende delen waaruit de keuken bestaat. Voor het werkgedeelte is een systeem waarbij de lamp in de afzuigkap is ingebouwd het meest veelzijdig en functioneel, aangezien een onafhankelijk lampje constant moet worden schoongemaakt en onderhouden.
De informele eettafel vereist slechts sfeerverlichting, waar, in dit geval, twee lampen van roestvrij staal voor zorgen, die boven de uiteinden van de tafel zijn gehangen.

Licht rondom het bed

In de slaapkamer moet het licht vanuit het hoofdeinde van het bed aan- en uitgezet kunnen worden. Daarom moeten de schakelaars zich naast het bed bevinden. Het is aan te raden het licht naast bed te versterken met sfeerverlichting, met behulp van kaplampen of spots in het plafond. Het leeslampje moet fel en punctueel zijn en uitgerust met een lamparm.

Twee wandlampen met uittrekbare lamparm verlichten het hoofdeinde van dit bed. Het contrast van de sobere inrichting van de ruimte en de lakens en kussens van het bed biedt een zeer evenwichtige afwerking.

De inrichting van deze kamer, in een duidelijk klassieke stijl, is uitgevoerd in enkele kleuren die onderling combineren. De zwakke lichtsterkte versterkt de witte kleur van het bed en de baldakijn en geeft dit element nog meer kracht.

De wandlampen met een dubbele kap aan weerszijden van het hoofdeinde van het bed, vervullen een dubbele functie: leeslamp en sfeerverlichting. (rechts)

De blauwe muur maakt gebruik van contrasten om een diepte-effect te creëren. De bijzondere structuur van het hoofdeinde zorgt voor een assymetrische verlichting als decoratieve oplossing. (links)

Dit is een slaapkamer in een grote kamer waarin de verdeling van het licht twee gedeelten scheidt. Er is een lamp voor het hoofdeinde en er hangen twee hanglampen in een hoek, die met hun papieren lampenkappen een intieme, omhullende inrichting creëren.

Deze slaapkamer met een moderne vormgeving heeft pure vormen. De verlichting bestaat uit een sfeerlamp, aangevuld met een staande lamp en twee halogeenlampen, die aan het plafond zijn bevestigd en het hoofdeinde van het bed verlichten.

Verlichting in de badkamer

In de traditionele indeling van de woning is de badkamer een binnenruimte met weinig natuurlijk licht. Als er al ramen zijn, dan zijn het meestal kleine ramen waar weinig tot geen licht van buiten doorheen valt. De inrichting van badkamers moet worden aangepast aan de kunstverlichting. Zo is het raadzaam lichtpunten met direct licht te combineren met een algemener verlichtingssysteem, om zo een evenwichtiger, helder zicht te krijgen.

De sfeerverlichting in deze badkamer wordt verkregen door twee halogeenspots die in het plafond zijn ingebouwd.

Twee wandlampen met arm geven de badkamer een klassieke tint. Het blauwe gres van de muur vergroot de lichtsterkte in de ruimte.

Twee tulpvormige wandlampen zorgen voor de verlichting in dit deel van de badkamer. De lampen zijn zodanig opgesteld dat ze een symmetrisch geheel met de spiegels vormen. (links)

De verlichting wordt verzorgd door enkele wandlampen van glastranen met een elegante, luxe afwerking.

De zwakke verlichting van enkele halogeenlampen aan het plafond zorgt in deze badkamer voor een schakering van weerspiegelingen. De badkamer is volledig van marmer vervaardigd.

Cottage is een decoratiestijl die als doel heeft een ambiance te creëren die de eenvoud en de rust van het leven op het platteland uitstraalt. In een badkamer kunnen, binnen de Cottage-stijl, moderne elementen van roestvrij staal worden toegevoegd. De verlichting van deze ruimte is opgelost middels halogeenspots die hun licht op de lichtgetinte panelen projecteren. (rechts)

In een badkamer met beperkte afmetingen zijn verschillende decoratieve trucs nodig om toch ruimte te simuleren. In dit geval versterken de twee spiegels het verticale licht van de wandlamp.

Zeer dynamische compositie waarin een plafond in rustieke stijl gecombineerd wordt met een betegelde douche-cabine. Het licht vanuit de dwarsbalken wordt geprojecteerd in de tussenruimte en zorgt zo voor een zeer originele verdeling van licht. (links)

Een zekere Art Deco-invloed voert de boventoon in deze ruimte die door twee antieke wandlampen wordt verlicht.

De kleur van het licht is een belangrijke factor bij een inrichting die gebaseerd is op verschillende tinten. In deze badkamer versterkt het witte licht van de halogeenlampen het karakter van het geheel.

Verschillende lichtpunten, ingebouwde halogeenlampen in het plafond, worden aangevuld met een neonlamp die boven de spiegel is bevestigd in het gedeelte dat de meeste verlichting vereist. (rechts)

Originele plek voor een wandlamp van een klassieke schoonheid. Dit type lampen, waarin het licht van beneden naar boven schijnt, geeft een zeer esthetisch effect.

Romantisch ensemble uitgevoerd in een duidelijk klassieke stijl. De wandlampen met arm geven voldoende licht dankzij de lichte kleuren van de inrichting.

Wanneer lichte tinten centraal staan in de inrichting van een badkamer wordt de sfeerverlichting beter verdeeld als het licht alle hoeken bereikt. Op deze wijze wordt het gebruik van wandlampen met direct licht onnodig. (rechts)

Okertinten veranderen deze ruimte in een zeer omhullende ambiance. De verlichting van deze badkamer zorgt voor een zeer intiem effect.

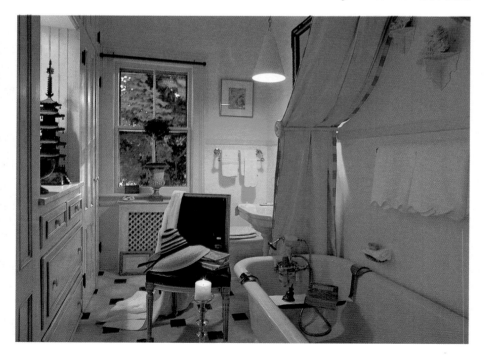

Industriële ontwerpen

De immer actuele trend om je te baseren op ontwerpen uit het verleden als inspiratiebron voor nieuwe creaties, vormt de oorsprong voor een lampenstijl die de vormen gebruikt van de oude lampen die halverwege de XX-ste eeuw in fabrieken en bedrijven werden gemaakt. Door nieuwe hanteerbare materialen ontstaan steeds weer nieuwe ontwerpen, gebaseerd op de oude vormen. Staal, aluminium, glas en plastic zijn de grondstoffen voor een perfecte sfeerverlichting in welke ruimte of stijl dan ook.

Moderne lamp, uitgevoerd in staal. Vanwege de soberheid van de industriële ontwerpen hebben designers deze lampen steeds weer kunnen moderniseren en herinterpreteren.

Twee afbeeldingen van verschillende ruimtes in de woning die met dezelfde ontwerpen worden verlicht, illustreren de decoratieve veelzijdigheid van dit type creaties. De ontbrekende ornamenten, de doordachte functionaliteit en de technische eenvoud zijn de belangrijkste motieven om deze lampen te gebruiken om een woning te verlichten. Beide ontwerpen zijn van Besana.

Hangend aan een plafond waarvan de architectonische structuur zichtbaar is, versterken lampen in een industriële stijl het bijzondere karakter van deze woning. (links)

De lampen in een industriële stijl kunnen zich bij elke inrichting aanpassen dankzij de vele mogelijke kleuren en vormen.

Een andere mogelijkheid die de industriële ontwerpen bieden, is de installatie van een reeks gelijksoortige lampen, zonder de ruimte ermee te overladen. Door de hanteerbare materialen waarvan deze lampen zijn vervaardigd, kan het ontwerp in verschillende afmetingen worden gereproduceerd.

Designlampen

J. Hoffmann (1900).

W. Wagenfeld (1926).

Anoniem (1929).

Anoniem (1930).

W. Wagenfeld (1928).

W. Wagenfeld (1924).

W. Wagenfeld (1924).

W. Wagenfeld (1924).

W. Wagenfeld (1926).

W. Wagenfeld (1928).

Anoniem (1930).

Anoniem (1925).

E. Muthésius (1927).

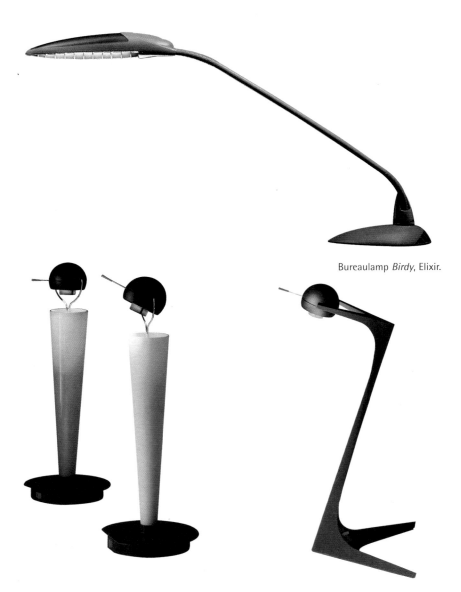

Bureaulamp *Birdy*, Elixir.

Afrodisia, Francesco Castiglione (1992).   *Onidia*, Santiago Calatrava (1992).

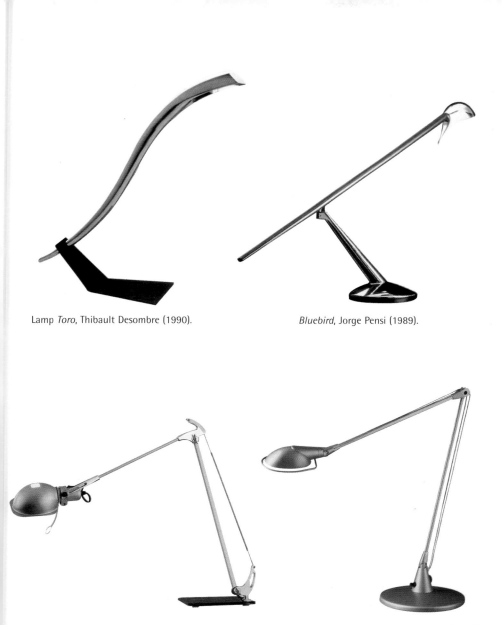

Lamp *Toro*, Thibault Desombre (1990).

Bluebird, Jorge Pensi (1989).

Rodope, Zed (1996).

Mandraki Tavolo, Riccardo Blumer (1996).

Paco, Rodolfo Dordoni (1996).

Oci, Rodolfo Dordoni (1996).

Villa Giulia, Michael Graves (1992).

Lamp *Profilo*, Sergio Cappelli & Patricia Ranzo (1991).

Bib Luz Libro, Oscar Busquets.

Hanglamp *Brera*, Achille Castiglioni (1992).

Mezzachimera, Vico Magistretti (1970).

Staande lamp *Brera*, Achille Castiglioni (1992).

Io, Tobias Grau (1990).

Arcadia Tavolo, Ernesto Gismondi &
Giancarlo Fassina (1995).

Miconos Tavolo,
Ernesto Gismondi (1998).

Oblio,
Ernesto Gismondi (1998).

Aggregeto stelo tavolo, Enzo Mari
& Giancarlo Fassina (1976).

G.T. Rietveld (1925).

Gilda, In Suk il &
Silvia Capponi (1993).

Zen, D & D Design (1989).

Shogun Tavolo, Mario Botta (1986).

Lamp *Frankfurt*, Associate Designer (1989).

Galetea Tavolo, Andrea Anastasio (1998).

Soleil Blanc, Didier la Mache.

Hanglamp *Cina*, Rodolfo Dordoni (1996).

Bolonia, Josep Lluscá.

Kallisto, Tobias Grau (1990).

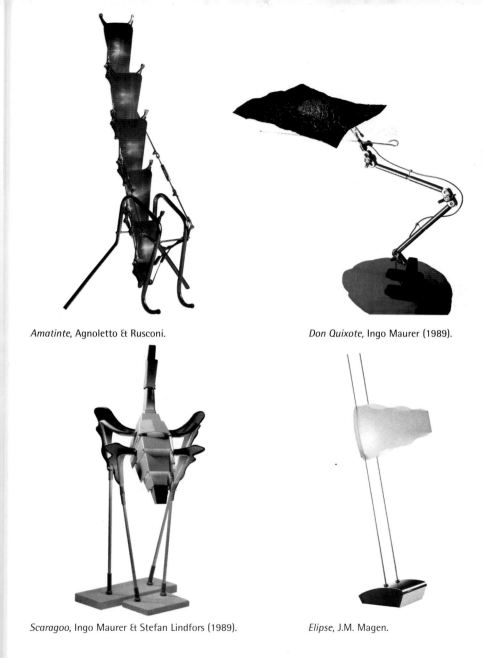

Amatinte, Agnoletto & Rusconi.

Don Quixote, Ingo Maurer (1989).

Scaragoo, Ingo Maurer & Stefan Lindfors (1989).

Elipse, J.M. Magen.

Lamp *Creature*, Sergio Calatroni (1989).

Wandlamp *Tocatta*, Elmecker & Reuter (1991).

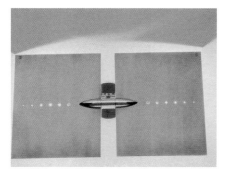

Wandlamp *Flic Flac*, Elmecker & Reuter (1991).

Wandlamp *Indor*, Elmecker & Reuter (1991).

Wandlamp *Mephisto*, Tobias Grau (1990).

Balart, Jorge Pensi.

Wandlamp *Atalaya*, Josep Joan Teruel (1990).

Wandlamp *Vulcanos*, D & D Design (1989).

Enea, Antonio Citterio (1998).

Artur, Tobias Grau.

Hanglampen

Fenice 15. Renato Toso, Nati Masari & Ass.

Gaia sospensione rosa. Örni Hallowen.

Ermione sospensione. Örni Hallowen.

Cigno. Örni Hallowen.

Leda acquamare. Artemide.

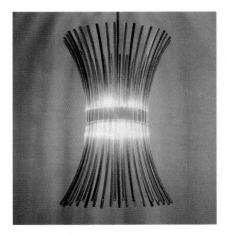

Medusa sospensione rubino. Silvio Zanon,
Olga Barmine & Paolo Creapan.

Pantalica sospensione blu. Örni Hallowen.

Tamiri sospensione multicolore. Artemide.

Arpasia plafoniera 40. Valery Jean-Marie.

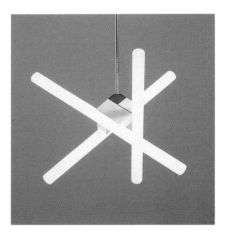

Olvidada. Pepe Cortes.

Arpasia sospensioni 40. Artemide.

Doremi' sospensioni. Jeannot Cerutti.

Gitana Sospensioni. Jeannot Cerutti.

Vega sospensioni 70. Artemide.

Ilias. Andrea Anastasio.

Zsu-Zsu sospensione. Örni Hallowen.

Wandlampen en plafondlampen

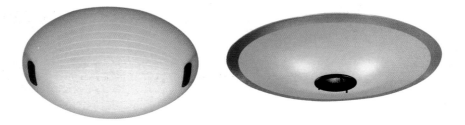

Zsu-Zsu plafoniere.
Örni Hallowen.

Pull. Claudio
Marturano.

Roby. Artemide.

Spider. Jeannot
Cerutti.

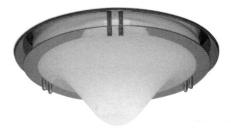

Rebeca plafoniere.
Studio Veart.

Doremi' plafoniere.
Jeannot Cerutti.

Amanita. Umberto
Riva.

Goccia. Studio Veart.

Prima. Giuseppe
Righetto.

Iole plafoniere.
Ernesto Gismondi &
Giancarlo Fesina.

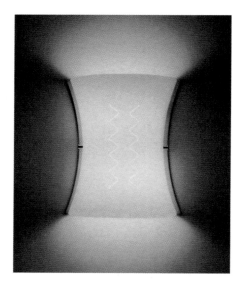

Fama. Toso Massari e
Associati.

Robbia 60, Robbia 30.
Ennio Pasini.

Cilla. Ernesto
Gismondi.

Vesta Full. Ernesto
Gismondi &
Giancarlo Fesina.

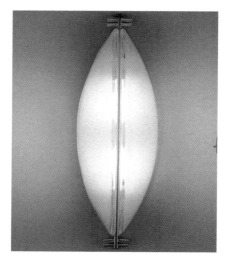

Masha pared.
Jeannot Cerutti.

Arpasia pared. Valery
Jean-Marie.

Bubbola.
Umberto Riva.

Vesta. Ernesto
Gismondi & Giancarlo
Fesina.

Gitana pared.
Jeannot Cerutti.

Boli. Artemide.

Nausicaa 12.
Masimo Giacan.

Nausicaa 18.
Masimo Giacan.

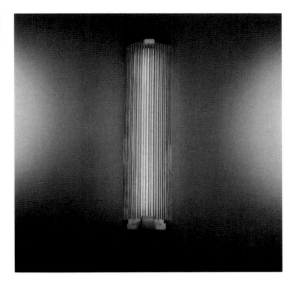

Antea. Ernesto
Gismondi.

Mask. Ennio Pasini.

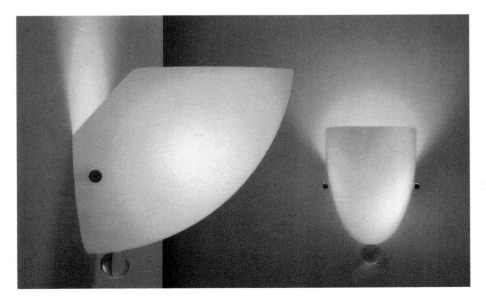

Bureaulampen

Coppa. Jeannot
Cerutti. (rechts)

Iole tavola. Ernesto
Gismondi &
Giancarlo Fesina.

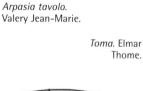

Arpasia tavolo.
Valery Jean-Marie.

Arpasia luminator.
Valery Jean-Marie.

*Ifigenia
Priomo.* Toni
Cordero.

Toma. Elmar
Thome.

Iole tavolo.
Jeannot
Cerutti.

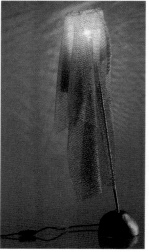

Cuma tavolo.
Ugo La Pietra.

Ecate Anchise.
Toni Cordero.

*Manelao notte
bianca.* Ernesto
Gismondi.

Masha tavolo.
Jeannot Cerutti.

Cibele. Andrea
Anastasio.

Mirra tavolo.
Andrea
Anastasio.

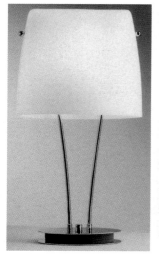

Iskra. Jeannot
Cerutti.

City. Studio
Veart.

Otta.
Alessandro
Mendini.

Staande lampen

Afna. Jeannot Cerutti.

Line. Jeannot Cerutti.

Iole terra. Ernesto Gismondi
& Giancarlo Fasina.

Arpasia terra. Valery Jean-Marie.   *Auryn*. R. Fusi, S. Mollica, P. Zanotto.   *Acquarelli*. Artemide.

Kleur

Kleur is een bepalend aspect in de inrichting. Maar voordat we de een of andere kleur uitkiezen, moeten we nagaan hoe we kleuren waarnemen. Het licht is hiervoor een bepalende factor. Natuurlijk licht verlicht onze woning de meeste tijd van het jaar. Het verlevendigt de interieurs van een huis, verandert de kleuren in de loop van de dag, varieert eveneens naar gelang het jaargetijde. Laten we ons dus concentreren op de ruimtelijke ordening van elke kamer en bepalen waar het licht vandaan komt dat via ramen en deuren binnenvalt, én laten we proberen de grootste decoratieve voordelen eruit te halen.

Het licht uit het noorden is kil en veroorzaakt weinig schaduwverplaatsing. Als de kamer gericht is op het noorden, is het raadzaam in de inrichting warme kleuren te gebruiken om de mogelijke verharding door het licht tegen te gaan. Het licht uit het zuiden daarentegen, geeft een gevoel van warmte en verandert in de loop van de dag van richting. Koude kleuren zullen helpen de zeer sterke schittering, vooral in de zomer, tegen te gaan. Het licht uit het oosten komt 's ochtends het eerst op en verandert langzaam van intens naar neutraal. Als het licht uit westelijke richting komt, kan de lichtsterkte zeer intens zijn en ons hinderen. Uiteraard kunnen kleuren helpen om het licht te verzachten, maar natuurlijk ook luxaflex, vitrages en gordijnen.

Het kleurenpalet van koude kleuren loopt van blauw tot groen, terwijl warme kleuren van geel tot rood lopen. De hierboven uiteengezette opmerkingen zijn fundamenteel bij de keuze van het meubilair, de muren of de vloer van de kamers, maar een ander bepalend element is onze smaak en het effect dat we met de kleur willen creëren. Het is duidelijk dat de mode de tendensen bepaald. Momenteel wordt de inrichting bepaald door kleurcombinaties op basis van grijs-, beige- of bruingrijstinten. Wie durft, heeft echter kleurige, vrolijke en optimistische meubelen tot zijn beschikking. Dat wil zeggen pure kleuren: rood, blauw, geel. Als we tamelijk conservatief zijn

en we, bijvoorbeeld, niet voor een rode zitkamer durven te kiezen, kunnen we een ruimte creëren in zachtere tinten en deze kleurnuances toebrengen door kleine details als een lamp en enkele schilderijen. Zo moeten in een kamer met een harmonisch kleurengamma met alle elementen van de inrichting rekening gehouden worden, van muren en meubilair tot de meest secundaire complementen.

Kleur is zeer belangrijk! Het bepaalt de stijl van een kamer. Als we een heldere, ontspannen kamer willen creëren die niet snel uit de mode is, kunnen we het best voor een beigetint kiezen. Vale kleuren reflecteren het licht en verdelen het over de gehele kamer. Als we meer de warmte zoeken dan de lichtsterkte, is geel onze kleur. Deze kleur heeft de kwaliteit een kille ruimte tot een gezellige ruimte te kunnen omvormen. Bovendien past het perfect bij blauw, oker, roze, safraangeel of mosterdgeel. Als we de kamer optisch willen vergroten, en een opgeruimde, lichte kamer willen creëren, dan moeten we voor blauw kiezen. Om de kilte te nuanceren, kunnen we het combineren met meubelen van natuurvezels of met complementen in neutrale tinten. Wie wat meer durft, kan kiezen voor de primaire kleur die nog moet worden genoemd: rood. Het is de warme kleur bij uitstek, de kleur die onze zintuigen het meest prikkelt. Rood geeft warmte en vult onze woning met levendigheid. Als het wordt gecombineerd met okertinten, verkrijgen we een intieme, zeer levendige en zeer moderne kamer.

De vloer kan ook van een kleur worden voorzien. De vloer dient perfect te integreren met de overheersende kleur in de kamer. Donkere kleuren zorgen ervoor dat de kamer kleiner lijkt, terwijl lichte kleuren het gevoel van ruimte versterken. Ook zijn met vloeren de meest ambachtelijke creaties mogelijk, zoals met de hand geverfde tegels. Laat de fantasie haar gang maar gaan. Muren kunnen niet alleen geverfd worden, ze kunnen ook worden bekleed met stoffen en tekeningen. Schilderijen en strepen vormen een grappige combinatie die nooit uit de mode raakt. Wel moeten we de juiste tinten en weefsels kiezen, willen we er niet te snel op uitgekeken raken.

Het kleurengamma

Kleur is van belang bij de proporties, verandert het perspectief, reguleert het warme gevoel in een kamer en beïnvloedt de gemoedstoestand. Dankzij de chromatische cirkel kunnen we bepaalde combinaties vatten. Het geheel aan sectoren dat van violetrood tot geel loopt, noemen we warme kleuren. De overige zijn koude kleuren, die een gevoel van ruimte toevoegen.

Koude en warme kleuren creëren ongedwongen, jeugdige ensembles. Model *New York* van Cicsa.

Bij het kiezen van de juiste tint moet het effect op het geheel in acht worden genomen.

Tegengestelde kleuren, zoals wit en zwart, creëren contrasten met grote elegantie. B&B Italia. (rechts)

Koude kleuren
combineren perfect
met beige- en
crèmetinten en
creëren een
neutrale sfeer.

Door het versterken
van de warme kleuren
wordt het gevoel van
warmte verkregen.

Koude kleuren geven een gevoel van afstandelijkheid en zijn ideaal voor beperkte ruimten.

Een vleugje rood geeft originaliteit aan de fauteuil, afgewerkt met een metalen voetensteun.

Contrasten en bewerkingen

In een interieur staat een kleur nooit op zichzelf. Het effect wordt altijd beïnvloed door wat eromheen is, of het nu de andere kleuren van de verschillende elementen in de kamer zijn of het licht en de schaduw. De verlichting beïnvloedt de toon, de helderheid en de warmte van de kleur.

Plastic stoelen afgewerkt in verschillende kleuren met metalen poten. Design van Lamm voor Roger sin Roca.

De warme tint van het hout creëert perfect rustieke, stedelijke stijlen. (rechts)

Het licht creëert contrasten in een slaapkamer gestoffeerd met zwarte, ruwe weefsels. (links)

De vitrage filtert het licht en maakt een geheel van de tinten in de slaapkamer.

Het glanzende hout creëert subtiele schitteringen in een verlichte hoek, dankzij een groot raam met panelen.

Het basisschema van kleur

Het gehele interieur maakt het kleurenbasis-schema af. Zoals er een monochromatisch schema bestaat, waarop tinten van één enkele kleur ontstaan, zijn er ook harmonische en complementaire schema's. Bij een analoog kleurengamma past men de aangrenzende kleuren op de cirkel toe op de gekozen basiskleur. De complementaire schema's ontwikkelen de tegengestelde kleuren.

De harmonische schema's leveren zeer decoratieve, elegante resultaten.

Op deze vliering zijn tinten toegepast die aan crème kleuren grenzen en een enkele tegengestelde kleur, zoals het groen, dat contrasten vormt.

Voor het interieur van deze kinderkamer is gekozen voor een palet met koude kleuren. Op de juiste wijze gecombineerd creëren ze een ongedwongen, vrolijke ruimte.

De ruimten binnenin een huis kunnen gedifferentieerd worden door het gebruik van verschillende kleurenschema's.

De contrasten in deze slaapkamer worden gemaakt met de kleuren bordeauxrood en wit.

Kleur en tinten doorzien

Er zijn aantrekkelijke kleuren en afstotende kleuren, maar in het interieur is de aanwezigheid en de schakering van de kleur bepalend, evenals de stoffering en het licht. Een geelwitte kamer zal een ander uiterlijk hebben met een levendig gekleurde linoleumvloer dan met een tapijt in vale kleuren. Niet de afmetingen, maar de kleur van de vloer en het effect van de verlichting zullen anders zijn.

De verschillende houttinten creëren mooie decoratieve effecten.

Door de metalen afwerkingen ontstaan tinten die een moderne slaapkamer tot een geheel maken.

De verschillende koude tinten van deze badkamer in een uitgebreid gamma van blauw- en grijstinten passen perfect bij de accessoires en het sanitair in roestvrij staal. (links)

Decoreren met blauw

Blauw refereert altijd aan open ruimten en wekt de illusie van rust en ontspanning. In de schilderkunst werd blauw pas aan het eind van de Middeleeuwen gebruikt, wanneer het hemelsblauw de goudgele kleuren vervangt, die met het goddelijke werden geassocieerd. Het is een ideale kleur voor kinderkamers en in combinatie met het warme kleurengamma van geeltinten ontstaan zeer decoratieve ruimten.

Intens blauwe en helblauwe tinten worden vaak gebruikt in moderne interieurs. Dankzij het dakvenster wint deze tint aan licht. (rechts)

Detail van een slaapkamer die in vaal blauw is geverfd. Het tapijt van Joan Miró creëert mooie contrasten.

Gang van de *Villa Escarrer* op Palma de Mallorca, ontworpen door Martorell & Bohigas & Mackay. Op de muren vallen de handgemaakte motieven op, op een blauwe achtergrond.

Geeltinten

Geeltinten geven altijd een gevoel van licht en warmte. Binnen het gamma van deze kleur kunnen drie grote groepen worden onderscheiden: de zwakke of crème kleuren, de citroengele kleuren en de intense kleuren.

Intens geel contrasteert perfect met oppervlakken die wit geverfd zijn, zoals de aanliggende muren van deze slaapkamer. (rechts)

Het natuurlijke licht valt direct binnen op de vaalgele, gedecoreerde muren.

Dankzij de spots in het plafond neemt de kleur wit van de weefsels een gelige, zeer decoratieve schakering aan.

Tweezitsbank met wieltjes en katoenen stoffering. Model *Santiago* van K.A. Internacional.

Roodtinten

Rood is de kleur met de sterkste uitstraling en de eerste kleur die het menselijk oog kan onderscheiden. Het is een overweldigende kleur en kan, mits correct gecombineerd, een gevoel van comfort en warmte creëren. Zowel in de architectuur als in interieurs treffen we rood bijna nooit aan als een pure kleur.

Uitzicht vanaf de overloop van de trap. Het licht brengt een mooi, paarlemoerkleurig effect over op deze oranje muur.

Het rood van dit bedovertrek doorbreekt de monotonie in deze tienerkamer.

Venetiaans stucwerk met een roodgamma dat dicht bij oranje ligt. Het contrast komt aan de hand van het houten parket.

Om een maximaal gevoel van warmte te geven is de ingang van het huis geverfd met een vuurrode tint die met de metalen elementen van het hekwerk en de kleivloer contrasteert. (rechts)

Decoreren met wit

Wit is de kleur van de beweging, van het design en van de moderne architectuur, veelvuldig toegepast door designers als Le Corbusier of Walter Grophius. Met wit kunnen heldere, grote ruimten verkregen worden die perfect samengaan met geel-, blauw-, grijs- of zwarttinten.

Uitzicht op de zitkamer en de eetkamer van het *Harding Township*-huis, ontworpen door Richard Meier in New York, waarin de combinatie van witte en neutrale tinten opvalt.

Badkamer gedecoreerd in wit en zwart, met een enkel warm accent dat het hout aanbrengt. Model *Ann* van Ikea.

De werken van Richard Meier zijn exclusief uitgevoerd met in wit afgewerkte materialen die perfect met zwarte meubelen of accessoires kunnen contrasteren.

De witte muren reflecteren het licht en vergroten de ruimte van deze buitenruimte. Het vleugje kleur wordt ingebracht door de groene boom.

Grijstinten

Grijs is de kleur van het oneindige, wellicht omdat het een alternatief vormt voor de contrasten tussen wit en zwart. Het is een diffuse, instabiele kleur, ideaal voor avant-gardistische en minimalistische interieurs, en combineert perfect met witte en zwarte tonen en metalen afwerkingen.

Het grijze marmer van de muren creëert een effect van waterschitteringen, dankzij het natuurlijke licht dat via het kleine raam binnenvalt.

Eetkamer van het *Kidosaki House* van Tadao Ando. De architect heeft bijna geen kleur gebruikt en creëert een interieur waarin het spel tussen licht en schaduw van het grootste belang is. In Japan associeert men grijs met stilte en het metafysische.

De houtstructuren krijgen een grijsachtige kleur door het licht dat via de hoge ramen binnenvalt. De vloer heeft eveneens een grijze tint. (links)

De combinaties van wit, zwart en grijs creëren
ruimten zoals deze antieke keuken, die bepaald
wordt door de tegels met geometrische motieven.

Opvallende ruimte gedecoreerd met grijs metallic. Deze kleur
wordt versterkt door de metalen complementen, de stoelen en
de gedraaide poten van de tafel met glazen blad.

Stoffen en kleur

De gele stoffen
geven warmte en
licht aan de
kamer. (rechts)

Tapijten en gordijnen geven elke ambiance
een vleugje kleur en bepalen de basistint.
Bij het kiezen van de kleur is het belangrijk
rekening te houden met de lichtinval, de
ligging en de algemene stijl van het huis.

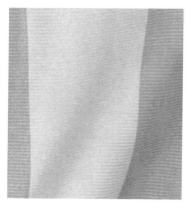

Baykal, K.A.
Internacional.

Augusta geel,
van K.A.
Internacional.

Baykal Rombos,
K.A. Internacional.

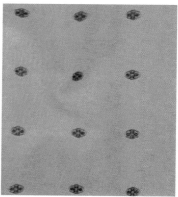

*Mármara
goudgeel*, K.A.
Internacional.

Kamer waarin groentinten zijn
gecombineerd met roodtinten.
Van boven naar beneden.

Ródano mosterdgeel.
K.A. Internacional.

Dorset groen. K.A.
Internacional.

Elite bladgroen. K.A.
Internacional.

Garona mosterdgeel.
K.A. Internacional.

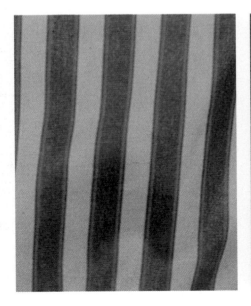

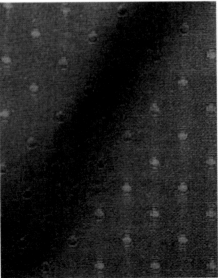

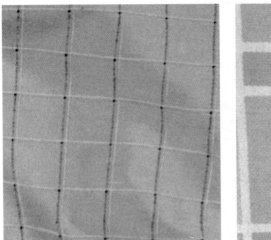

Natuurzijde.

Malta grijs.

Bahía.   *Mieres beige.*

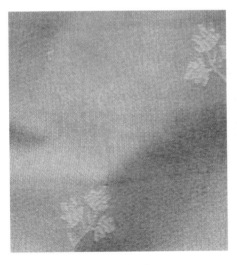

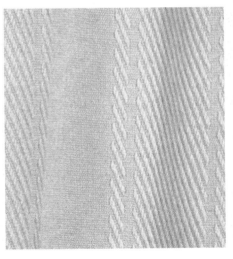

De ruwe kleuren van de bekleding van
de fauteuils contrasteren met het
hout van de stoelen en de structuurelementen van de kamer. (links)

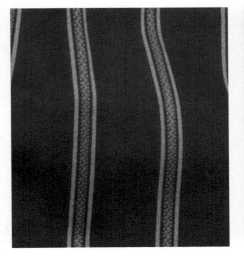

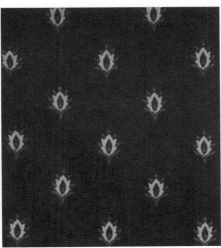

Dallas rood.

Garona goudgeel-rood.

Peñiscola rood.   *Cardiff rood.*

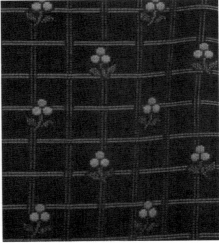

De rode kleur van de gordijnen
contrasteert perfect met het wit in
deze functionele, moderne badkamer.
(links)

Bristol
blauw.

San Diego blauw.

Libia blauw.   *Chenilla effen.*

Blauwe combinaties brengen rust
en elegantie in rustieke keukens.
(links)

Kleuren combineren

Tot slot in dit hoofdstuk dat aan kleur is gewijd, de mogelijkheid om uw interieur te verfraaien door kleuren te mengen. De basis van deze inrichting is in feite de combinatie van meubilair, weefels en kleuren. Deze voorbeelden tonen al deze mogelijkheden. De resultaten die uit deze kleurcombinaties voortkomen, zijn origineel en kleurrijk, hoewel niet iedereen ze even smaakvol vindt.

Een perfect voorbeeld van kleurcombinatie. In dit geval gaat het om een buitengevel die duidelijk de kleurrijke, Zuid-Amerikaanse invloeden uit Barragan volgt.

Een kleine telefoonruimte toont verschillende tinten en af-werkingsmaterialen. Er zijn letter- en cijfersymbolen toegevoegd als decoratie.

De badkamer kan eveneens onderwerp zijn van een eclectische decoratie waarbij in de inrichting een tintje terugkeert uit andere kamers.

In deze zitkamer van een appartement worden de kleuren niet alleen op muren, plafond en meubilair gecombineerd, maar ook in de afwerkingsmaterialen, lichtbronnen en de deklagen van de zuilen.

Nationale accenten

En ontwerp ontstaat nooit toevallig. De basis kan worden herleid tot de persoonlijkheid van de kunstenaar, de historische erfenis en de typische kenmerken van de plaats waar het ontstaat. Laten we ons bijvoorbeeld eens richten op de stillistische tendensen van enkele van de meest representatieve landen van deze eeuw.

Terwijl in de 19e eeuw de Portugese kunst fragiel bleek en de architectuur teruggreep op de stijlen uit het verleden, is de situatie in de 20e eeuw radicaal veranderd. De architectuur heeft nu de meest geavanceerde tendensen overgenomen dankzij een periode van vooruitgang. We kunnen in Portugal niet spreken van één kenmerkende stijl van ontwerpen. We vinden er het ironische design, het architectonische, het sculpturale en het minimalistische design.

Duitsland genoot begin 20e eeuw van een grote stilistische vrijheid op het gebied van architectuur en decoratie, dankzij de invloed van de Belg Henri van de Velde en de Oostenrijker J.M. Olbrich. De bouwwerken van Peter Behrens waren de inleiding op de rationalistische architectuur in Duitsland, waaraan Walter Grophius, Eric Mendelsohn en L. Mies van der Rohe, allen leden van de Bauhaus-beweging, zich gingen wijden. In Duitsland is deze voorkeur voor compositonische eenvoud en pure lijnen niet verloren gegaan, hoewel het nu wel wordt toegepast op de details van ontwerpen en zo grote schoonheid creëren.

Oostenrijk is tegenwoordig een van de meest vernieuwende landen wat het design betreft. Aan het begin van deze eeuw kenmerkte de Secessie van Wenen, dat als reactie op de Art Nouveau ontstond, de koppeling tussen kunst en design. Tegenwoordig creëren Oostenrijkse ontwerpers niet alleen voorwerpen die zich beperken tot de meest eenvoudige en essentiele vormen, maar investeren zij tevens in het experimenteren met en zoeken naar nieuwe creaties.

Nederland heeft zijn stijl nog steeds te danken aan de tendens die eind deze eeuw rondom het tijdschrift De Stijl ontstond: het neoplasticisme. De vereenvoudiging van vormen tot essentiële lijnen en het gebruik van primaire kleuren

zijn de belangrijkste kenmerken. Tegenwoordig is die praktische stijl — waarin
niets overvloedig is — wederom tot bloei gekomen. Het meubilair krijgt vast-
gestelde geometrische vormen en de eenvoud van lijnen is overduidelijk.

Als opmerkelijke gebeurtenis aan het eind van de 20e eeuw ontstond in
België Les Vingt, een groep avant-gardistische kunstenaars die het Franse
impressionisme pretendeerden op te volgen. Victor Horta was de belangrijkste vertegenwoordiger van de Art Nouveau-stroming en voorzag zijn
interieurs van functionaliteit en creativiteit. Reeds aan het eind van de 19e
eeuw werd de technische vooruitgang geïntegreerd in de ontwerpen.
Tegenwoordig hecht het Belgische design nog steeds veel waarde aan de
technologie en aan comfortabel, harmonisch ontworpen woningen. De
schoonheid wordt gezocht in het minimalisme.

In Noorwegen zien we in deze eeuw twee verschillende architectonische
stromingen: een kenmerkt een terugkeer naar traditie hoewel langs moderne weg, en de andere spiegelt zich aan de moderne Europese architectuur.
Dankzij de invloed van Asplund, Grophius en Le Corbusier zijn deze twee
tendensen samengegaan en hebben ze geleid tot een architectuur die de
traditionele kenmerken behoudt en aanpast aan de omgeving en de maat-
schappij. Tegenwoordig zijn er in Noorwegen nog steeds twee compositorische tendensen: een geeft de voorkeur aan functionaliteit, terwijl de ander
het ontwerp als uitgangspunt neemt.

Het Zweedse ontwerp daarentegen is volledig gericht op het functionalisme
en legt de nadruk op de minimale uiting. Het duldt geen oppervlakkige
versiersels en houdt van essentiële, geometrische lijnen. Desondanks staat
het bepaalde concessies toe, bijvoorbeeld kromme vormen.

Canadese ontwerpen richten zich op het detail. In deze tijd wordt bijzondere aandacht besteed aan de diversiteit van vormen en materialen.
De werken beperken zich niet tot strakke, vaste patronen: de fantasie
bepaalt de grenzen.

Portugees design

Aan het eind van de 20e-eeuw verenigt Portugal alle stijlen en vormen waarbinnen het modern design zich kan bewegen. Zo kunnen we meubelen en voorwerpen vinden in een ironisch ontwerp dat de bestaande lijnen herziet en nieuwe oplossingen biedt; het architectonische ontwerp, waarin materialen worden verwerkt en gecombineerd met een mini-architectuur-karakter; het sculpturale design, waarin het meubelstuk de functionele kunst raakt; het minimalistische ontwerp dat minimale middelen verwerkt, en het ludieke design, waarin het meubelstuk ter vermaak is ontworpen. De Portugese designers herontwerpen ook bestaande designs, waarbij ze voorwerpen van erkende kunstenaars achterhalen en actualiseren. Daarnaast houden ze zich bezig met het historistische ontwerp, waarin traditionele meubelstukken en materialen herleven.

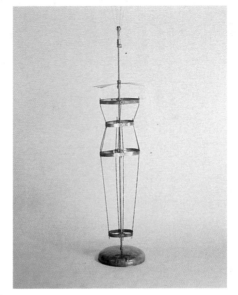

Staande kapstok *Geraldina*, in ijzer en staal. Luisa Coder & José Russell. 1999.

Droogrek *Água Fria da Ribeira,* in roestvrij staal, Marco Sousa Santos. 1999.

Stoel *Seat up,* in gelaagd kersenhout met roestvrij stalen plaat. José Viana. 1999.

Lamp uitgevoerd in lycra, van
Plácido Ferreira.

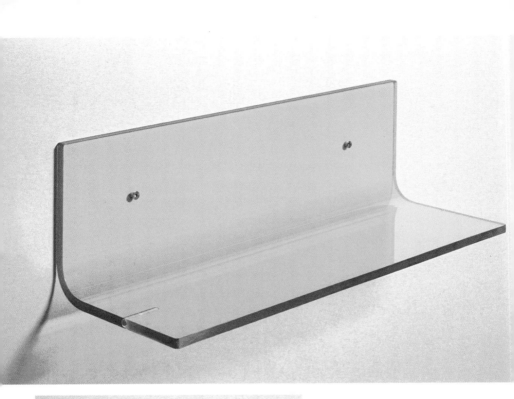

Acryl legplank op hoogte.
Fernando Brízio. 1999.

Stoel *Bergère* in gelaagd
hout, vervaardigd met een
mal. Uitgevoerd met wieltjes.
Daciano Costa. 1999.

Parapluhouder *2001* in roestvrij staal, messing en hout.

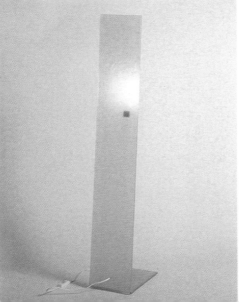

Glazen lamp *Candeeiro*. Eliane Marques.

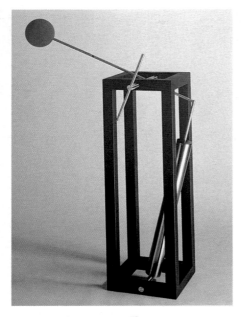

Oscillator van ijzer, staal en aluminium. Paulo Vale. 1999.

Lamp van staal met matte afwerking. Design van Gut Moura Guedes. 1999.

Uitstalkast *Golha* van geverfd staal, ontwerp van Isabel Damaso. 1999.

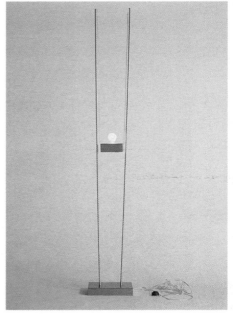

Lamp van synthetisch
schuim, met buisvormige
binnenstructuur en basis en
stalen plaat met verflaag.
José Manual Cravalho Aráujo.

Canadees design

Jean Pierre Viau, Claude Maufette, Jean François Jacques, Christian Bélanger, Jeab-Guy Chabauty, Nathalie Morin en Serge Tardif vertegenwoordigen de diversiteit en originaliteit die het Canadese design kenmerken, vooral in Montreal en Québec. Hun creaties krijgen vorm in een stijl die zeer representatief is voor hun land en waarin industriële kennis, ambacht, durf en onafhankelijkheid ten aanzien van de trends samengaan.

Lamp *Morin*.
Tardif Designers.
1995.

Stapelbaar tafeltje *Pepperoni*.
Claude Maufette. 1997.

Fauteuil
Tania. Plouk
Design.
1995.

Stoel *ST-120. Méteore*
Design. 1991.

Canadese ontwerpen.

Zweeds design

Eettafel, design van
Jacques Sanjian.

Het Zweedse design is simpel en zeer functioneel. De oorsprong dateert uit eind 19e eeuw en de persoonlijkheid die het tegenwoordig kenmerkt, is tussen de jaren '30 en '50 ontstaan. Vanaf de jaren '30 worden de specifieke kenmerken van het Zweedse design duidelijk: functionalisme, eenvoudige lijnen en lichtgekleurd hout.

Tapijt *Carpet on Carpet*. Design van Jonas Bohlin.

Tapijt, design van Kristina Rästrom.

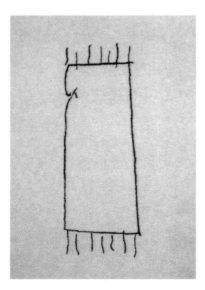

Houten badkamermeubelen.
Ontwerpen van E. Koivisto,
O. Rune en M. Claesson.

Houten eettafel,
ontwerp van
Jacques Sanjian.

Stoel *Dover*. Ont-
werp van Björn Alge.

Koelkast *OZ* van de
groep Electrolux.

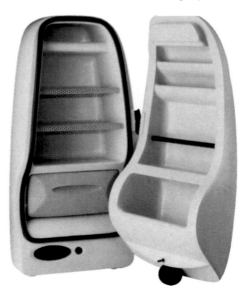

Lamp *Osmium*, van Ikea.

Woltapijt *1301*, van Carouschka.

Eettafel met stoelen, van Marten Claesson, Eoro Koivisto en Ole Rune.

Driezitsbank. Ikea.

Oostenrijks design

Het Oostenrijkse design is een van de meest geavanceerde van Europa. De voorwerpen die ze in dit Midden-Europese land vervaardigen omvatten experimentele prototypen, kortstondige projecten en toegepaste kunst uitgevoerd door ontwerpers als Christian Horner, Hans Hollein of Uli Marchsteiner.

Karretje *Cadillac*, ontwerp van Michael Wagner.

Waterkoker. Ontwerp van Hasenbichler/Hollander.

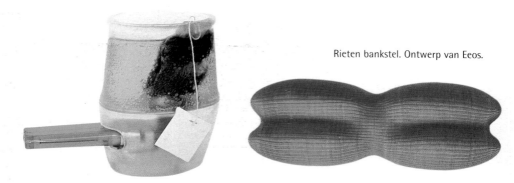

Rieten bankstel. Ontwerp van Eeos.

Doos, ontwerp van
Martin Szekely.

Doos *Kosmas*,
ontwerp van Martin
Szekely.

Mobiel kantoor.
Opblaasconstructie. Hans
Hollein.

Home office-systeem van Uli
Marchsteiner. Virtuele aanwezigheid.

Verpakkingen van
aardappelmeel,
houtsplinters en pulp.
Emballagecentrum in Graz.

Belgisch design

Het Belgische design vindt zijn wortels in de functionaliteit, technologie en esthetiek. De lijnen passen zich aan elke ruimte aan en de gestileerde voorwerpen tonen direct hun functionaliteit zonder enig overdadig detail dat de essentie verhult. Ontwerpers als Ann Maes vertegenwoordigen de groeiende tendens binnen het Belgische design: het formele minimalisme.

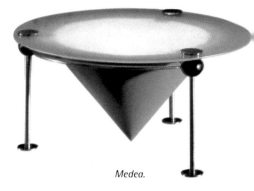

Medea.

Tafel *Rotonda* en stoel *Tino.*

Lampen *Tondo.*

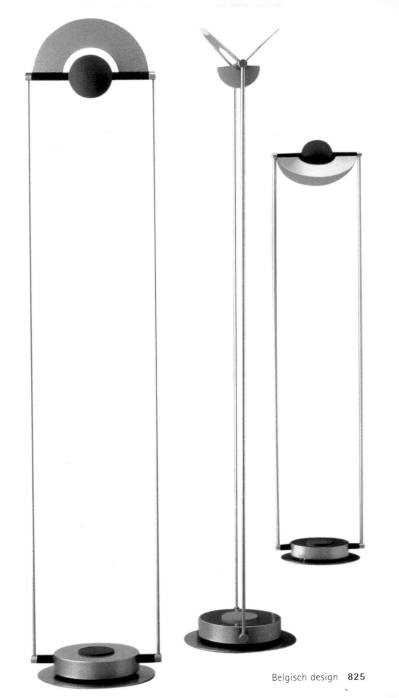

Noors design

De Scandinavische functionaliteit voert ook de boventoon in de ontwerpen uit Noorwegen. Er bestaat echter een stroming die van de homogeniteit afstand neemt en streeft naar een lijn waarin het expressieve en het esthetische boven het nut staan.

Systeem van stellingkasten van Solveig Johnson.

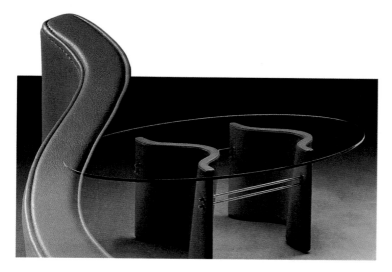

Tafel *Vatne 245*, ontwerp van Olav Eldoy.

Stoel, design van Espen Arnesen.

Stoel *Café-Sit* van Birgitte Appelong.

Krukstoel van Sigurd Strom.

Duits design

De voorkeur voor natuurlijke materialen en de bijzondere aandacht voor het ambachtelijke detail vormen de karakteristieken van het Duitse design. Dit blijkt vooral uit de ontwerpen met duidelijke lijnen en de comfortabele stoffen.

Kandelaar *Salomon*, design van Andreas Weber.

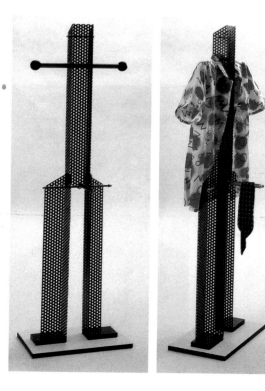

Kapstok *Charles*, design van Hermann Waldenburg.

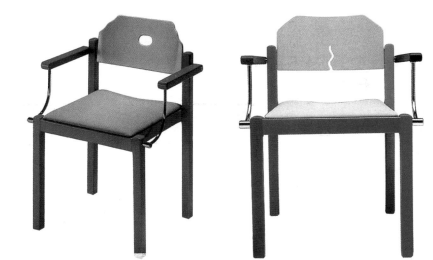

Stoelen *Galopp* van Rothe.

Stoelen *Sinus* van
Waldemar Rothe.

Italiaans design

In tegenstelling tot ontwerpers
uit noordelijk Europa, kiezen
de Italianen altijd voor een
uitdagend gebruik van scherpe
kleuren en pasteltinten, en
voor overdadige kromme lijnen
en welvingen.

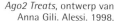

Ago2 Treats, ontwerp van
Anna Gili. Alessi. 1998.

Rondo, Otto, Sden, ontwerp van
Stefano Piravono. 1998. Alessi.

Giratondo, ontwerp '*King-Kong*' (Stefano
Giovannoni en Guido Venturini). Alessi.

Bijzettafeltje en
staande kapstok,
ontwerp van
Roberto
Giacomucci.
Marchetti. 1999.
(links)

Notitieboekje,
ontwerp van Massimo
Scolari. 1998. Alessi.

Vaas *Genetic Tales*
van Andrea Branzi.
1998. Alessi.

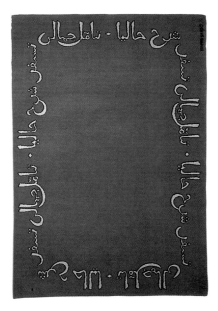

Tapijt *Puig* van Eduard Samsó.

Spaans design

De laatste tien jaren hebben bewezen dat het Spaanse design geen kortstondige stroming was. Het heeft haar goede naam geconsolideerd dankzij de kwalitatief hoge productie en de originaliteit. André Ricard, Pete Sans of Javier Mariscal zijn enkele van de internationaal erkende ontwerpers.

Buck Tensor. Jaume Tresserra.

Bijzettafel *Fonda Europa*. Carles Riart.

Stoel *Facto Mini*. Gemma
Bernal en Ramón Isern.

Stoel *Troika*,
geproduceerd door Carlos
Jané Camacho.

Stoel *Bruja*. Pete Sans.

Stoel *Fonda Europa*. Carles Riart.

Nederlands design

Het praktische nut en de soberheid staan voorop in
het huidige Nederlandse ontwerp. De erkende
internationale roem komt voort uit emblematische
namen als Jan des Bouvrie, Henke Voos of
Brickman. Hét kenmerk van deze kunstenaars is dat
ze de esthetiek van de voorwerpen in dienst van het
dagelijks gebruik stellen. Het ontwerp wordt gekenmerkt door eenvoudige lijnen, de integratie van de
geometrische vormen van de schilder Mondriaan
en het minimalisme van de Hollanders. De laatste
trend richt zich op het accent van de klassieke
vormen in samenhang met modieuze weefsels.

Poef met ottoman
stoffering. Ontwerp
van Ravage.

Driezitsbank met
zwarte stoffering
en beukenhouten
onderdeel.
Ontwerp van Jan
des Bouvrie.

Kleine fauteuil
met armsteun.
Model 'The
Emperor'.
Ontwerp van
Ravage.

Originele
fauteuil met
zwarte
stoffering en
beukenhouten
poten. Model
Château van
Jan des Bouvrie.

Ponza is een ovalen salontafel met glasplaat en gesmeden poten. Ontwerp van Maroeska Metz voor Arx.

Poef van ottoman, ontwerp van Maroeska Metz voor Arx.

Poef met ottoman stoffering en metalen basis. Ontwerp Maroeska Metz.

Kleine opbergkast met cacaokleurige afwerking en aluminium handvaten. Ontwerp van Brand & van Egmond voor Arx.

Ensemble van bankstel en fauteuil in bruine alcantara. Ontwerp van Brand & van Egmond voor Arx

Frans design

Het Franse design zoekt in de creaties naar het evenwicht tussen twee concepten die elkaar ogenschijnlijk tegenspreken: schoonheid en functionaliteit. Alle ontwerpen van de Franse designers hebben dit merkteken dat hun stijl zo bijzonder maakt en een uitstraling van magistrale, natuurlijke elegantie creëert.

Lamp *Forme du Voyage* van Pascal Morgue.

Collectie Louis Vuitton, ontwerp van Christian Liagre.

Stoel *Torito*. Studio Naço.

Stoel van Eric Schmitt.

Stoel *Ashtray* van Eric Schmitt.

Japans design

Het Japanse design kenmerkt zich door integrale interieurs waarin het ontbreken van decoratieve elementen overheerst. Deze vorm van minimalisme is ook bepalend geweest voor tendensen in de westerse landen. De creatieve discipline en de compositorische strakte zijn andere kenmerken van de huidige Japanse stijl.

Tafelklokken *Dear Vera*, 1998, van Shigeru Uchida en Aldo Rossi.

Lamp *Standing*, Isao Hosoe.

Eetkamer in het *Circle*-huis van Naoyaki Shirakawa.

Stellingkast *Stormo*, Isao Hosoe. (rechts)

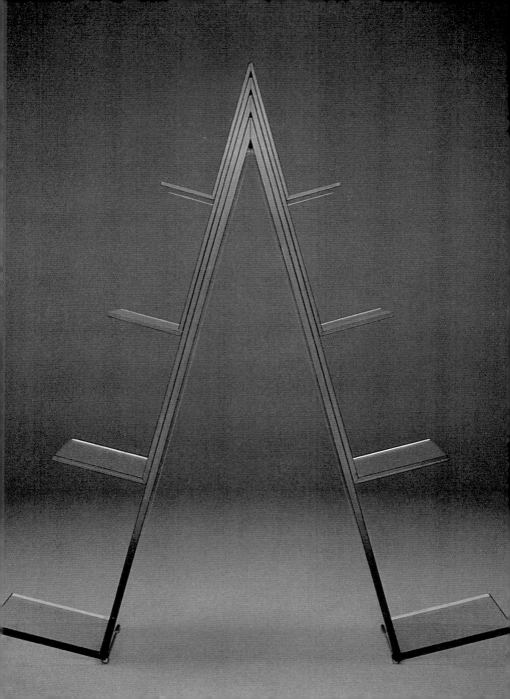

Stoel *Tonel*, 1904-1905,
Frank Lloyd Wright.

Fauteuil *Tokio Imperial*,
Frank Lloyd Wright.

Gestoffeerde stoel van
aluminium, 1929, Donald Deskey.

Puntenslijper, 1933, Raymond Loewy.

Amerikaans design

Het huidige Amerikaanse design kenmerkt zich door een overheersend gebruik en combinatie van materialen, door een bijzondere zorg voor omvang en een uitermate rationeel artistiek evenwicht. Frank Lloyd Wright was de belangrijkste vertegenwoordiger en Donald Deskey de belangrijkste motor achter ontwerpen die met alternatieve materialen, zoals kurk of staal, zijn vervaardigd. Hij was tevens de belangrijkste imitator van de aerodynamische beweging.

Een aantal beukenhouten stoelen, 1946 Charles & Ray Eames. Kamerscherm, 1946, Herman Miller.

Lamp, 1930, Donald Deskey.

Ontwerpers van deze eeuw

Om een eerste reactie op de overdadig decoratieve stijl van begin deze eeuw tegen te komen, moeten we teruggaan tot Adolf Loos, een Oostenrijkse architect. Hij had een vooruitziende blik als we in beschouwing nemen dat men tegenwoordig pas neigt tot decoratieve eenvoud. Zijn theorieën over de verdwijning van oppervlakkige ornamenten en zijn ontwerpen, inspireerden de latere modernistische beweging. In deze context wilde de Bauhaus-school, vanaf 1919, kunst en industrie samenbrengen. Een van de groepen die het meest van invloed is geweest op het Bauhaus, is De Stijl, met aan het hoofd Piet Mondriaan, Theo van Doesburg en de ontwerper Gerrit Rietveld.

De Stijl-beweging gebruikte alleen de primaire kleuren en de kleuren zwart, grijs en wit. Het had een voorkeur voor eenvoudige geometrische vormen en beperkte zich daarbij tot horizontale en verticale vlakken. De stoel *Rood-Blauw* van Rietveld, uitgevoerd met aan elkaar geschroefde houten planken, was een van de eerste toonbeelden van De Stijl. Ook de modernist Le Corbusier pleitte in die tijd voor de noodzaak van enkele functionele voorwerpen in het interieur en tartte zo de elite van de decoratieve kunsten. Deze architect had vooral als ambitie alle overdaad in gebouwen en interieurs weg te laten en zich tot geometrische basisvormen te beperken.

De Finse modernist Alvar Aalto staat bekend om de gewelfde vormen van zijn meubilair, zijn vazen en de overkappingen van zijn constructies. Hij wist een harmonisch samengaan van zijn gebouwen met het milieu te realiseren, dankzij zijn liefde voor de natuur. Aalto vergat het comfort van de mens niet. Met zijn houten, kromme fauteuils wilde hij dat men comfortabel kon zitten. Deze ontwerper en architect had een zwak voor hout, een materiaal dat in staat was warme, aantrekkelijke sferen te creëren. Aalto heeft zijn

sporen nagelaten bij huidige ontwerpers, als Rud Thygessen of Johnny Sorensen.

Pas in de jaren '70 begint men de modernistische stijl te bekritiseren. Vandaag de dag zijn er bewegingen die het nog steeds steunen, zoals de High-Tech. Het postmodernisme heeft echter zijn afkeer voor de modernistische beweging geuit en kiest voor enkele indrukwekkende ontwerpen die met het oog op de consumptiemaatschappij zijn vervaardigd. De architect en ontwerper Michael Graves droeg aan het postmodernistische debat bij met zijn overheidsgebouw in Portland en met meubilair voor het Italiaanse concern Memphis.

De steun die de Franse autoriteiten aan de postmodernistische ontwerpers als Philippe Starck boden, is van belang om hun overwicht in de jaren '80 en het huidige succes te verklaren. De ontwerpen van Starck zijn uiterst gehumaniseerd. Hij ontwerpt vanuit zijn hart. Zijn werken variëren van een fauteuil tot een koffiezetapparaat en alles wat hij maakt vertoont sporen van comfort en design waarbij soms de essentie en dan weer meest verbazingwekkende originaliteit overheerst. Hij houdt van kromme vormen en maakt gebruik van materialen als plastic en gerecycled hout. Zijn werkthema's zijn sex, humor, politiek en surrealisme. Een van de mensen die met Starck heeft samengewerkt, is de Italiaan Pierangelo Caramia. Ook hij heeft een voorkeur voor functionele voorwerpen die ons welzijn vergroten zonder daarbij het ambachtelijke design uit het oog te verliezen.

Ontwerpen is een totale kunst. Het omvat allerlei voorwerpen, van de meest dagelijkse tot de meest speciale. Ook breidt het zich uit tot gebouwen en meubelen, die als een ambachtelijk product worden beschouwd. Maar er zijn bepaalde ontwerpers die hun compositorische zoektocht op een specifiek gebied hebben gecentreerd. Dat is het geval voor Arne Jacobsen, bekend om zijn mengkranen, waarvan slechts de grepen en de hals zichtbaar zijn. Ingo Maurer daarentegen heeft zich gespecialiseerd in verlichting, in een constante zoektocht naar materialen en vormen. Arnold Merckx heeft zich gericht op de werkvloer en het functionele, doch uiterst esthetische meubilair bestudeerd dat in elk bedrijf is vereist. Met een bepaald budget, uiteraard.

Een Spaanse ontwerper die altijd door polemiek is omgeven, is Javier Mariscal. Zijn tekeningen zijn onschuldig, opzettelijk kinderlijk zo men wil, maar zijn creaties blijken origineel en verrassend. Hij heeft allerlei soorten complementen voor meubilair ontworpen. Niet zo bekend bij de massa als de Valenciaan Mariscal, doch niet minder belangrijk, is de Catalaan André Ricard die niet alleen als ontwerper werkzaam is, maar zich tevens wijdt aan lesgeven en theorie.

Stoel Battló. Antonio Gaudí.

Alvar Aalto

Jyväskylä, 1898; Helsinki, 1976. Hoewel zijn eerste werken (*Bibiotheek van Vipuri*, 1927-1935;
Sanatorium van Mpaimio, 1928) binnen de
Moderne Beweging vallen, begint hij als architect
aan het eind van de jaren '30 met de *Villa Mairea*
(1938) voor Mairea Gullichson, organieke werken
te realiseren met verschillende materialen en
kromme, fragmentarische vormen. Als meubelont-
werper begint hij vanaf de oprichting van Artek,
samen met zijn echtgenote Aino Aalto en Mairea
Gullichson, in Helsinki (1935) stukken te produceren zoals de kruk met drie poten: buitengewoon
bescheiden maar zorgvuldig uitgekozen werken.

Lamp *A440*, Artek.

Karretjes *900* en *901*, Artek.

Krukje 60, Artek

Ron Arad

Tel Aviv, 1951. Hij heeft meerdere werken uitgevoerd op het gebied van architectuur en ontwerp,
en werkte intens samen met zeer prestigueuze firma's als Driade, Vitra International, Artemide,
Poltrona of Alessi. Hij vervaardigde werken op elk
gebied binnen de decoratie. Zijn eerste succesvolle
werk is zonder twijfel het bankstel Rover van 1981
waarin hij leren zittingen uit oude auto's benutte.
In 1991 heeft hij groot succes met zijn serie gestoffeerde stoelen, en toont hij zijn bijzondere
voorkeur voor het gebruik van metaal. Sinds 1997
is Ron Arad docent Design aan de Royal College of
Art van Londen.

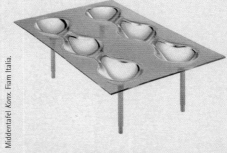

Middentafel *Konx*. Fiam Italia.

Nachttafeltje *Onda Corta* voor Fiam Italia.

CD-rek. Model *Soundtrack*. 1999. Alessi.

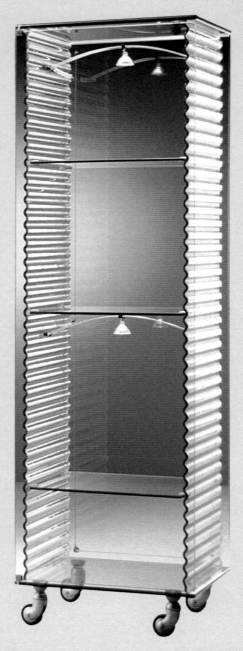

Opbergkast *Onda Kart*. Fiam Italia.

Achille Castiglioni

Milaan, 1918. Achille Castiglioni studeerde architectuur aan de Hogeschool van Milaan. In 1944
behaalde hij zijn diploma en werd meteen aange-
nomen door het bureau van de gebroeders Livio en
Pier Giacomo. In 1952 verliet Livio het kantoor en
in 1968 stierf Pier Giacomo. De carrière van Achille
Castiglioni heeft zich op het gebied van het ontwerp ontwikkeld in samenwerking met
firma's als *Alessi, e De Padova, Flos,
Driade, Knoll, Olivetti BBB Over* of
Kartell. Tussen 1970 en 1980 was hij
docent aan de Hogeschool van Turijn,
en sinds 1980 is hij docent in Milaan.
Voor Castiglioni is de missie van de
ontwerper het onderzoeken van en het
zich verdiepen in de functionele mogelijkheden van het voorwerp teneinde de
kwaliteit van leven te verbeteren.

Met de lamp *Brera*, Flos.

Tavolo '95, e De Padova.

Stylos, Flos.

Mate, e De Padova.

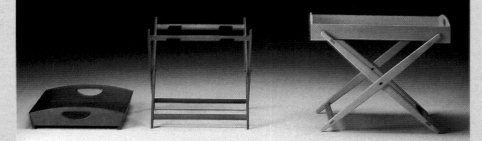

Taraxacum, Flos.

Arne Jacobsen

Eengreeps mengkraan met vaste kraanhals.

Arne Jacobsen is de ontwerper van de onder architecten en interieurverzorgers populairste series mengkranen. Naar aanleiding van een wedstrijd voor de Nationale Bank van Denemarken in 1961, kwam de nauwe samenwerking tussen Jacobsen en de fabrikant Verner Overgraad tot stand. Die leidde tot deze serie mengkranen, waarin leidingen en eenheid in de muur zijn gebouwd. Op deze wijze beperkt het aantal zichtbare elementen zich tot de grepen en de kraanhals. Sindsdien worden ze met groeiend succes door de firma Vola geproduceerd.

Tweegreeps mengkraan.

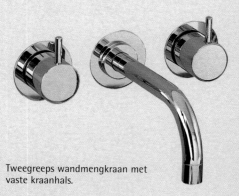

Eengreeps mengkraan met draaibare kraanhals.

Eengreeps mengkraan met draaibare kraanhals.

Tweegreeps wandmengkraan met vaste kraanhals.

Eero Arnio

Helsinki, 1932. Zijn naam is te vinden in verschillende collecties van musea in de gehele wereld, zoals het Victoria Albert Museum in Londen of het Museum of Contemporanean Art in New York. Zijn opvallendste werken zijn de acryl hangstoel *Bublle* (1968) en de stoel *Serpentina* (1968) en de glasvezel tafels *Copacabana* of *Screw* (1991). Binnen het creatieve proces valt Eero Arnio op vanwege zijn oplossingen voor technische en ergonomsiche problemen in zijn ontwerpen. Wat echter daadwerkelijk belangrijk is, zijn de esthetische mogelijkheden die uit de lijnen voortkomen.

Screw, 1991.

Tafel *Copacabana*, 1991.

Antonio Gaudí

Reus 1852 – Barcelona 1926. Grondlegger van de architectuur. Sinds het begin van zijn carrière ontwierp hij meubelen en maakte hij, zoals alle architecten uit zijn beweging, gebruik van alle elementen die werden bepaald door het interieur van de woningen. Zijn ontwerpen, met een zeer persoonlijke interpretatie van het modernisme, hebben een hoog organisch gehalte met duidelijk natuurlijke vormen.

Bankje *Calvet* van massief eikenhout met vernislaag, 1902. B.d.

Stoel *Calvet*, 1902. B.d.

Stoel *Calvet*, 1902. B.d.

Stoel *Batlló*, 1902. B.d.

Stoel *Calvet*, 1902. B.d.

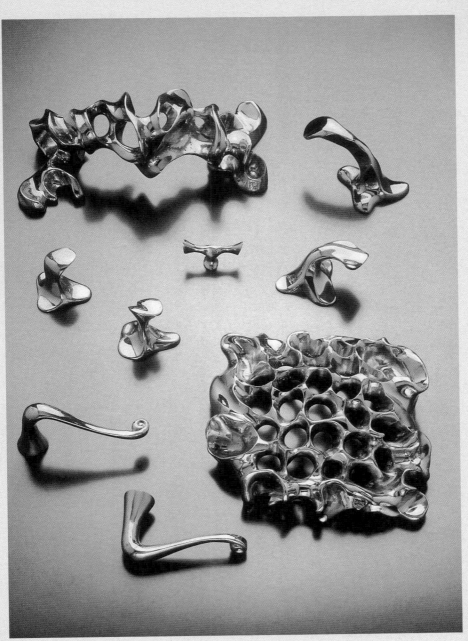

Ijzerwerk en deurhandvaten. 1902 – 1910. Bd.

Jean Michel Cornu
Veronique Malcourant

Saigon, 1956, Vichy, 1955. Voorstanders van Symbolic Design, sterk beïnvloed door de symboliek, maar ook door strakheid en functionaliteit. Ze zijn een van de duidelijkste voorbeelden geworden van het huidige ludieke design en hebben enkele van de meest fantasierijke en interessante ontwerpen op hun naam staan. Binnen deze ludieke stroming kenmerken hun werken zich door duurzaamheid, flexibiliteit en zuinigheid.

Stellingkast *Odeon*, 1989.

Collectie *Cornette*, 1990.

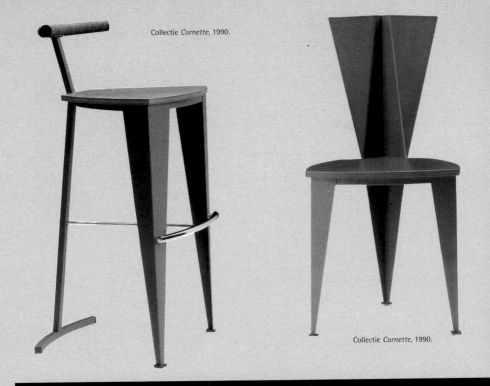

Collectie *Cornette*, 1990.

Collectie *Cornette*, 1990.

Collectie *Cornette*, 1990.

Eileen Gray

Ierland (1878-1976). Zij is zonder enige twijfel, een van de vrouwen met veel invloed op het moderne design. Haar zoektocht naar nieuwe vormen en materialen concretiseerde zich in vernieuwende meubelen, ontworpen in exotische of gelakte houtsoorten. Haar opvallendste werken zijn zonder twijfel de stoel *S* (1932-1934) waarin ze een opklapbaar onderstel combineerde met een gestoffeerde zitting, of de stalen tafel die ze in 1927 creëerde voor de firma E.1027 in Roquebrune, in het zuiden van Frankrijk.

Stalen tafel. Architects.

Gelakte tafel. Architects.

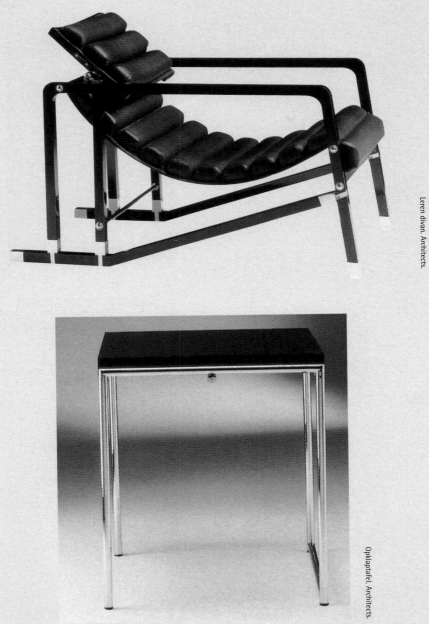

Leren divan. Architects.

Opklaptafel. Architects.

Michael Graves

1934. Michael Graves maakt deel uit van een groep ontwerpers die in de jaren '70 ontstond. Zijn participatie in de Italiaanse Memphis-beweging in de jaren '80 en de voorwerpen die hij voor Sid Powell ontwierp, hebben van hem een van de belangrijkste figuren van het hedendaagse design gemaakt. In zijn lange beroepscarrière als architect heeft hij meer dan 200 projecten uitgevoerd, waaronder kantoorgebouwen, musea, theaters. Ook op het gebied van binnenhuisarchitectuur was hij zeer productief en heeft hij een reeks collecties van consumptievoorwerpen geproduceerd voor verschillende bedrijven als Arkitektura, Swid Powell Baldinger. Zijn voorwerpen hebben een hernieuwde neoklassieke touche zoals de *Vajilla Corinta* ontworpen in 1984 of herinneren aan de Art Deco, zoals het melkkannetje en de suikerpot *Big Dripper* (1986).

De tafellamp *Villa Giulia*. Baldinger Architectural Lighting. 1997.

Slingerklok, 1988. Alessi.

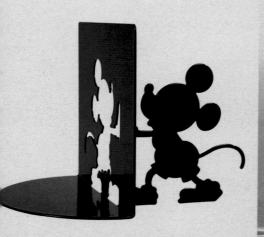

"*Mickey & Co*" is een boekenstandaard. Walt Disney. 1994.

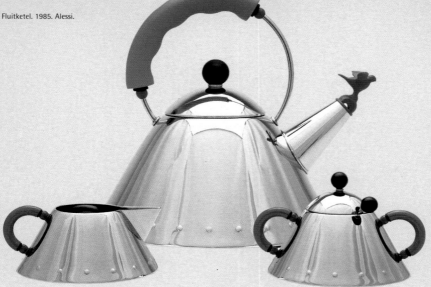

Zesdelige keukenset. Alessi.

Bestek "*Valle*". 1994. Alessi.

Broodtrommel. 1997.

Kaasbord. 1997. Alessi.

Pepermolen. Alessi. 1988.

Michael Graves **867**

Fauteuil, uitgevoerd voor Spinneybeck Design America. 1985.

Ronde schaal met nylon handvaten. 1990.

Ronde schaal. 1991.

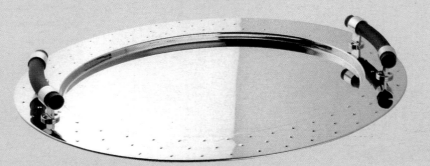

Ovalen schaal met nylon handvaten. 1994.

Michael Graves **869**

Charles R. Mackintosh

Fauteuil. Architects.

Stoel. Architects.

Glasgow 1868 – Londen 1928. Architect, vertegenwoor-diger van de School van Glasgow en een van de oprichters van de Art Nouveau. Eveneens opvallend op het gebied van zeer kenmerkende designmeubelen, voornamelijk door de werken die hij voor de Tearoom van Glasgow uitwerkte en in projecten voor verschillende bijzondere firma's tussen de jaren 1901 en 1911. In 1923 geeft hij zijn loopbaan als architect op en begint een periode in zijn leven die hij aan de schilderkunst wijdt, waarin zijn Franse en Catalaanse aquarellen opvallen. In 1927 keert hij terug naar Engeland, waar hij in 1928 – vergeten – sterft. Overdadige ornamenten op de panelen en de friezen van het meubilair waren een kenmerk van zijn werk.

Stoel. Architects.

Stoel. Architects.

Stoel. Architects.

Stoelen. Architects.

Domino Table. B.d.

Tafel met vernislaag. Architects.

Wandmeubel. Architects.

Stoel. Architects.

Rud Thygesen
Johnny Sorensen

Saeberg, 1932. Helsingor, 1944. Zij vormen de
stevigste pilaren van de huidige stijl in het Deense
design. Ze maken deel uit van de laatste generatie
ontwerpers, die sterk zijn beïnvloed door de meubelmakerij en door figuren als Hans J. Wegner en
Borge Mogensen. In hun ontwerpen is een groeiende invloed zichtbaar van de methoden van de
Klint-school of van klassieke Deense functionalis-
ten zoals Alvar Aalto of Bruno Matthsson. Hun
werken zijn tijdloos en houden zich aan sobere,
klassieke richtlijnen.

Stoel. *Magnus Olesen.* 1990.

Conferentiestoel *Olesen*. 1991.

Tafel *Embassy*. 1989

Rud Thygesen, Johnny Sorensen **873**

Ingo Maurer

Los Minimalos Uno (1994).

Reichenau (Duitsland), 1932. Hij studeerde van 1954 tot 1958 typografie en grafische vormgeving in Duitsland en Zwitserland. Na drie jaar als onafhankelijke architect in de Verenigde Staten gewerkt te hebben, keert hij in 1966 naar Duitsland terug en richt Design M in München op, gericht op het ontwerpen van verlichting. Al vanaf zijn eerste creatie, *Bulb* (op de pagina hiernaast, onder), zoekt Maurer een uitdaging in de verzoening tussen kunst en het industriële design.

Floatation (1980).

Zero One (1980).

Lamp (1980).

Savoie (1979).

YaYaHo (1984).

Bulb (1966).

Ingo Maurer **875**

Javier Mariscal

Valencia, 1950. Vanaf 1977 wijdt hij zich aan het creëren en schetsen van allerlei voorwerpen en produceert in 1981 voor de bar Dúplex in Valencia de gelijknamige kruk, die een van de cultvoorwerpen van het Spaanse design is geworden. Hij is tegenwoordig een internationaal erkend ontwerper. De ongedwongen, iconoclaste houding van Javier Mariscal overstijgt zijn eigen voorwerpen en vormt een dissonante houding en stem binnen de designwereld.

Zoutvaatjes Alexandre Miró, Juanito Cirici, Pablito Calder en vriendjes met zout en peper op tafel, 1992.

Saula Marina, 1995-1996. Moroso.

Alessandra, 1995–1996.

Ettore Sottsass

Innsbruck, 1917. Sleutelfiguur binnen het fin
de siècle-design. Hij is geboren in Innsbruck,
Oostenrijk en heeft ontelbare activiteiten uitgevoerd op diverse gebieden binnen de schilderkunst, de keramiek, het industriële ontwerp en de
architectuur. Tijdens de jaren '60 ontwikkelde hij
een zeer persoonlijke uitdrukkingsvorm die zich
uitte in werken voor de firma Olivetti (schrijfma-
chine *Valentine*, met rode armatuur). Zijn vele
reizen vervreemdden hem van het Europese
rationalisme. Hij had een voorkeur voor de meest
elementaire designs. Hij exposeerde in Studio
Alchimia en stichtte in 1981 de Memphis-groep.
Begin jaren '90 herwaardeerde Ettore Sottsass de
oude vormen en de klassieke materialen in zijn
ontwerpen.

Serviesgoed La Bella Tavola. Alessi.

Ettore Sottsass

Schalenset. 1998. Alessi.

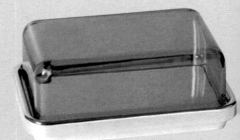

Botervat. 1998. Alessi.

Spraybus. 1998. Alessi.

Schalenset. 1998. Alessi.

Suikerpot. 1998. Alessi.

Philippe Starck

Parijs, 1949. Starck studeerde aan de Nôtre Dame de la Sainte Croix van Neully en aan de École Nissim de Camonde in Parijs. Op zijn twintigste was hij artistiek directeur van Piere Cardin. In 1974 verhuisde hij naar New York en twee jaar later keerde hij terug in Parijs waar hij de nachtclub Le Nain Bleu ontwierp. Sindsdien combineert Starck zijn belangrijkste activiteiten, de industriële vormgeving en het meubeldesign, met het ontwerpen van restaurants, hotelinterieurs en architectuur, zoals de gebouwen *La Flamme* en *Naninani* in Tokyo. Starck heeft in het industriële ontwerp de sensualiteit hervonden van de werken van enkele beeldhouwers uit de eerste helft van deze eeuw, zoals Arp of Brancusi. Tevens bevat zijn werk de ironie van recente artistieke bewegingen, zoals pop-art en het postmodernisme, en het brutale van strips, wat hem enorm populair heeft gemaakt.

Philippe Starck met de lamp Romeo Moon.

Silla Royalton.

Dr. No, Kartell.

Hot Bertaa, tetera de Alessi.

Ara, Flos.

Marco Zanuso

1916. Hij wordt beschouwd als een van de bekendste Italiaanse, naoorlogse ontwerpers en heeft werken op zijn naam staan die als klassiekers worden beschouwd. Hij is bovendien de drijvende kracht achter het internationale succes van het Italiaanse design. Zijn producties kenmerken zich door grote originaliteit en eenvoud van lijnen, waarbij zonder twijfel voorwerpen opvallen als de keukenweegschalen *Teraillon* (1967) of de vouwbare telefoon *Grillo* (1966).

Serie *Duna*, 1995.

Bestek *Duna*, 1995.

Frank Lloyd Wright

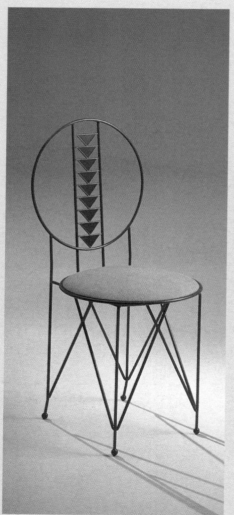

(Wisconsin, 1867; Phoenix, 1959). In de geschiedenis van de architectuur personifieert Wright de geest van de Amerikaanse pioniers die het Westen bezetten. Hij is een individualist, radicaal, halsstarrig en een natuurliefhebber. Zijn persoonlijkheid is te vergelijken met die van Walt Whitman. Voor veel van zijn huizen, vooral in de Chicago-periode, ontwierp Wright meubelen die later zijn gereproduceerd en op de markt zijn gebracht. Hij ontwikkelde in deze elementen een bijzonder grafisch element met zeer heterogene inspiratiebronnen, zoals de Chicago-school, de Arts & Crafts-cultuur, de Art Nouveau, de Avant-garde, de Japanse traditie, etc. Als ontwerper van meubelen was Wright echter geen vernieuwer, zoals de architecten van de Moderne Beweging wel waren. Deze pionierskracht tegenover het territorium dat uit zijn architectonische werk spreekt, gaat verloren in zijn meubilair, bestaande uit geometrische, overtuigende meubelstukken.

Stoel *Midway 2*. Geproduceerd door Cassina.

Schrijftafel *Meyer*, ontworpen in samenwerking met George Niedecken. Geproduceerd door Cassina.

Fauteuil *Barrel*. Geproduceerd door Cassina.

Stoel *Robbie 1*. Geproduceerd door Cassina.

Frank Lloyd Wright **887**

Mies van der Rohe

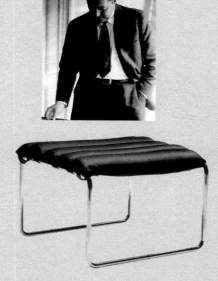

Aquisgrán 1886-Chicago 1969. Hij maakte deel uit van de Bauhaus-school en was er een tijd directeur van. Zijn meubelontwerpen vermengen zich met de functionalistische stromingen die stukken zochten met zeer vereenvoudigde lijnen, zonder ornamenten en daarbij de structuur van het meubelstuk als esthetische sleutel gebruikten, zonder enige decoratie toe te voegen. Tussen zijn meest karakteristieke ontwerpen valt de stoel Barcelona op, die hij ontwierp om het paviljoen van Duitsland te meubileren tijdens de Wereldtentoonstelling in 1929. Hierin maakte de metalen buis plaats voor stalen profielen. In 1938 emigreerde hij naar de Verenigde Staten waar hij de leerstoel kreeg aangeboden aan het Armour Institute in Chicago.

Leren poef. Architect.

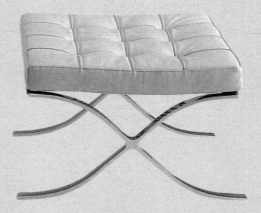

Leren poef. Architect.

Stoel met stalen structuur. Architect.

Stalen fauteuil. Architect.

Stoel met stalen structuur. Architect.

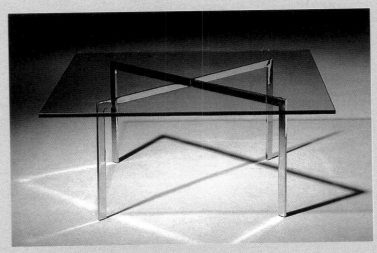

Tafel met stalen structuur. Architect.

Salvador Dalí

Figueras, 1904-1989. De bekende interieurverzorger Jean Michel Frank, een persoonlijkheid uit het Parijs van de jaren '30, onderhield een nauwe vriendschap met Salvador Dalí. Hieruit ontstonden meerdere gezamenlijke projecten waaronder ontwerpen voor meubelvoorwerpen. De schilder uit Gerona creëerde, onder andere, een serie zeer originele stukken, zoals de tuinmeubelen voor zijn huis in Portlligat. Maar Dalí ontwierp ook laden, hendels, mengkranen, etc.

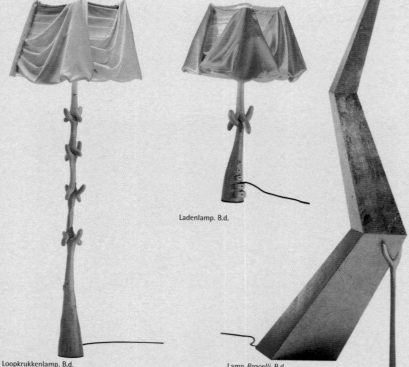

Ladenlamp. B.d.

Loopkrukkenlamp. B.d.

Lamp *Bracelli*. B.d.

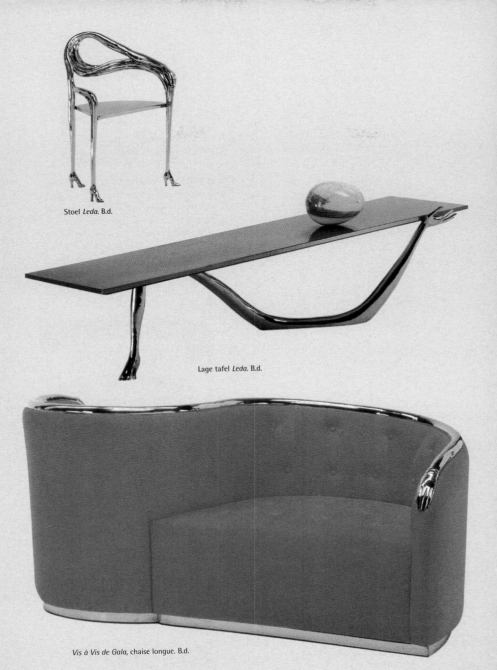

Stoel *Leda*. B.d.

Lage tafel *Leda*. B.d.

Vis à Vis de Gala, chaise longue. B.d.

Le Corbusier

Chaux de Fonds – Roquebrune – Cap Martin, (1887-1965). Le Corbusier voerde in het meubel-ontwerp de stroming van het functionalisme in en was daarmee een van de pioniers inzake het gebruik van chroomstaal als constructief element. Zijn ontwerpen zijn ontdaan van elk ornament dat niet uit de structuur van het meubelstuk zelf afkomstig is en hebben open, eenvoudige vormen.

Stoel. Architects.

Stoel. Architects.

Bankstel. Architects.

Fauteuil. Architects.

Fauteuil. Architects.

Richard Sapper

1932. Hij wordt beschouwd als een van de meest gerespecteerde ontwerpers van de '80-generatie, daar hij de rationele Duitse traditie heeft weten te verenigen met het ervaren en smaakvolle Italiaanse design. In 1957 verhuist hij naar Milaan waar hij voor het bureau van Giò Ponti en Alberto Rosselli werkt en in 1971 neemt hij met Marco Zanuso deel aan de Tentoonstelling van Italië georganiseerd door het Museum of Modern Art van New York. Marco Zanuso heeft een enorme invloed gehad op zijn werk en ontwerpt samen met hem meerdere audiovisuele apparaten. In 1972 creëert hij een van zijn bekendste stukken: de lamp Tizio, ideaal voor minimalistische ambiances. Richard Sapper werkt voor Alessi en voor andere firma's en is in de jaren '90 een van de industriële ontwerpers met de grootste faam geworden.

Bestek *RSol*. 1995. Alessi.

Theekan *Bandung*. 1995. Alessi.

Koffiezetapparaat *Coban*, versie Mono. Alessi. 1

Porseleinen servies *La bella Tavola* en *My beautiful China*. Alessi.

Expresso koffiekan. 1979. Alessi.

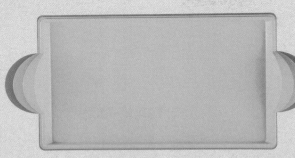

Set van drie stapelbare schalen. Alessi.

Keukengerei. 1986. Alessi.

Alessandro Mendini

1931. Alessandro Mendini studeerde architectuur aan de Hogeschool van Milaan en sloot zich aan bij de Studio Nizzoli Associati. Tussen 1978 en 1979 creëerde hij zijn herontwerpmeubelen, zoals het bankstel *Kandissi* en de stoel *Proust*. Hij is de oprichter van de Studio Alchimia en wordt beschouwd als een van de grootste denkers en ideologen binnen het moderne, Europese design. Een man met vele facetten die ook directeur is geweest van tijdschriften als Casabella, Modo en Ollo.

Bord en onderbord. Alessi.

Pan met handvaten, Falstaf 1989. Alessi.

Serviesgoed 1996. Alessi.

Kookwekker *Anna Time*. Alessi.

Rechthoekige schaal *Recinto*. Alessi.

Pepermolen *Anna Pepper*. Alessi.

Thee- en koffieservies. 1993. Alessi.

Sigarettenaansteker *Anna Light*. Alessi.

Enzo Mari

Novara, 1932. Beeldend kunstenaar en Italiaanse ontwerper. Aan het begin van zijn carrière creëerde hij diverse experimentele, kinetische werken. Vanaf 1952 publiceert hij meerdere theoretische werken en vanaf 1956 creëert hij voorwerpen voor firma's als Driade of Danese, waaronder wandtegels, weefsels, huisraad en speelgoed. De stoel *Delfina*, in 1974 vervaardigd voor Driade, kreeg de Compasso d'Oro.

Tuinschep. 1999. Alessi.

Schep en tuinset. 1999. Alessi.

Ecolo. Alessi.

Ecolo. Alessi.

Karretje van gietaluminium. 1989. Alessi.

Vergiet. 1997. Alessi.

Broodmand. 1997.

Fruitschaal. 1997. Alessi.

Jasper Morrison

1959. Jasper Morrison kenmerkt zich door zijn bescheidenheid en durf in de interpretaties van het ontwerp. Zijn voorwerpen zijn uitermate praktisch, met elegante lijnen. Hij is een minimalistische ontwerper en heeft een universum gecreëerd waarin zijn meubelen op discrete wijze het verleden oproepen. Morrison, die een groot kenner van de fabricageprocessen is, begon meubelontwerp te studeren in Engeland en nog voordat hij was afgestudeerd, werd zijn tafel Handlebar (1981) reeds op de markt gebracht. Zijn latere designs, zoals de stoel Landry Bax, van stijf karton en moeren, of de eenvoudige plastic flessenrekken voor de firma Magis, leveren grote vernieuwingen door de eenvoud en de originaliteit.

Zoutmolen Pepe le Moko. 1998. Alessi.

Ronde schaal met voetstuk. 1998. Alessi.

Opbergblikken voor de keuken Tin Family. 1998. Alessi.

Saladebestek "Sim" in PMMA. 1998. Alessi.

Alvaro Siza Vieira

Matosinhos, Portugal, 1933. Hij is de belangrijkste vertegenwoordiger van de Portugese architectuur en heeft prijzen ontvangen als de Van der Rohe-prijs voor architectuur en de Putzker-prijs. Zijn ontwerpen van meubilair, voorwerpen en complementen hebben ook internationale erkenning gekregen vanwege de functionaliteit en strakke esthetiek.

Bankstel *Boa Nova.* 1956.

Tafel en stoel *Mare.* 1997.

Klapstoelen.

Commode. 1985.

Asbak Havana. 1994.

Bestek Faqueiro. 1993-1997.

Vazen van kristal. 1995.

Fruitschaal. 1996.

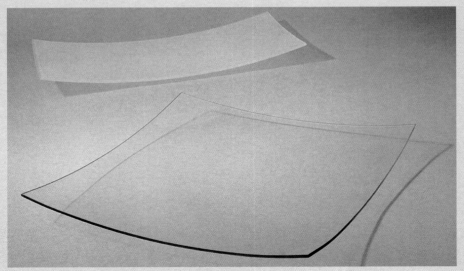

Andrea Branzi

1938. Hij is de oprichter van de Archizoom-groep en is
een duidelijke vertegenwoordiger van het radicale
ontwerp en een groot theoricus met talrijke publicaties
in verschillende tijdschriften, waaronder Casabella. Hij
heeft onder andere gewerkt voor Alchimia en Memphis
en in zijn werken probeert hij altijd een sociale en cul-
turele functie te weerspiegelen. Andrea Branzi houdt
zich zeer bezig met ecologie en natuurlijke vormen en
valt op door de gevoeligheid in zijn gemodelleerde
voorwerpen. Zijn passie voor geneologie heeft hem
ertoe gebracht een boek "Genetic Tales" te schrijven
dat een compendium en een catalogus is van alle
menselijke toonbeelden van het eind van dit
millenium. Uit deze studie is de reeks voorwerpen
ontstaan die hij voor Alessi heeft gecreëerd.

Flessenopener. 1999. Alessi.

Kurkentrekker. 1991. Alessi.

Notenkraker. 1992. Alessi.

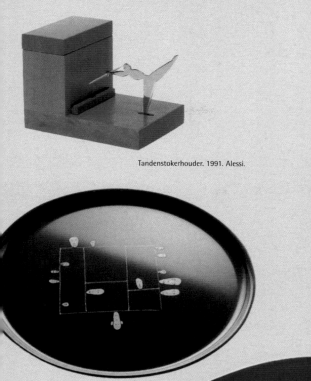

Tandenstokerhouder. 1991. Alessi.

Vaas. 1998. Alessi.

Schaal *Genetic Tales*. 1998. Alessi.

Fluitketel *Mama-ó*. 1992. Alessi.

Andrea Branzi   **913**

Stefano Giovannoni

Een van de belangrijkste ontwerpers van dit moment. Stefano Giovannoni werkt altijd met de zo-
genoemde "affectieve code", en in het bijzonder
met de "moeder en kind-code", wat hem ertoe
brengt voorwerpen te creëren die zich kenmerken
door een gevoel van zeer eenvoudige, ludieke
schoonheid. Daardoor doen zijn voorwerpen op
een bepaalde manier denken aan kinderspeelgoed.

Trechter *Pino*. 1998. Alessi.

Doos *Mary Biscuit*. 1995. Aless[

Pan *Mami*. 1999. Alessi.

Notenkraker. 1993. Alessi.

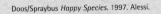

Doos/Spraybus *Happy Species*. 1997. Alessi.

Borstel *Merdolino*. 1991. Alessi.

Lekbakje. 1993. Alessi.

Peper en zoutstel *Lilliput*. 1993. Alessi.

Fruitschaal. Alessi.

Axel Kufus

Essen, 1958. Vier zaken houdt Axel Kufus in gedachten wanneer hij zijn voorwerpen ontwerpt: de creatie van een elementensysteem dat makkelijk en goedkoop geproduceerd kan worden, effectieve opbergmogelijkheden in een beperkte ruimte, eenvoudige montage en veelzijdige indeling van de elementen door vele combinaties. Het gaat om een ontwerp waarin het gehele proces van het project draait om de functie, zonder esthetische vanzelfsprekendheden, en waarin het voorwerp wordt gedefinieerd door zijn eigen constructie.

FNP. 1991.

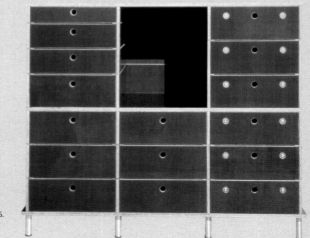

Lader. 1995.

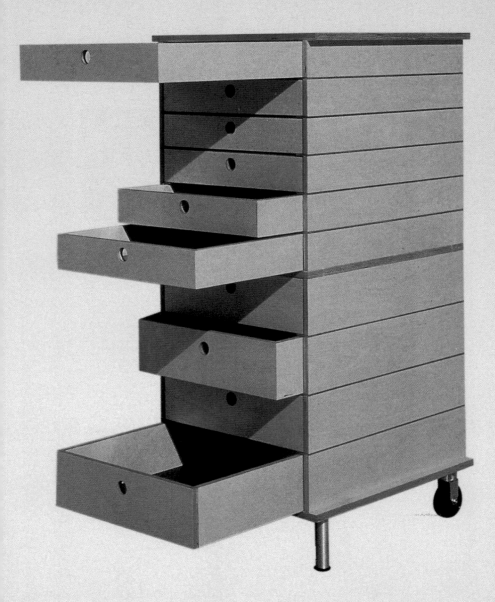

Lader. 1995.

Eeva Kokkonen

1959, Finland. Eeva Kokkonen is een van de meest representatieve personen binnen het vernieuwende dynamisme dat de trend in het Finse design kenmerkt. Haar productie is het resultaat van vele experimenten met het gebruik van traditionele materialen als hout en de vereenvoudiging van vervaardigingstechnieken. Al haar meubelstukken worden bepaald door soberheid en een hoge graad van kwaliteit.

Freja. 1991.

Two Chairs. 1990.

Volkswagen. 1989.

Josef Frank

(1885–1967). Oostenrijkse ontwerper die zich kenmerkt door zijn bijdrage aan de conservatieve stijl. Toen hij naar Zweden verhuisde, sloot hij zich aan bij de avant-gardistische stroming in dat land. Zijn werk kenmerkt zich door het eclecticisme en het functionalisme, waarbij designs opvallen als de stoel model A 81 IF, vervaardigd aan het begin van de jaren '30, en stoffen als de Mirakel in 1934.

Zwart bankstel. Architects.

Leren fauteuil. Architects.

Witte fauteuil. Architects.

Geerrit Thomas Rietveld

Utrecht, 1888–1964. Nederlandse architect en interieurverzorger. Begon zijn loopbaan als meubelmaker,
maar voegde zich al snel bij De Stijl in 1919. Betekenis-
vol lid van het Eerste Congres voor moderne architectuur in 1928. Hij is een voorloper van de nieuwe taal
van het meubilair en de binnenhuisarchitectuur. Van
zijn werken valt met name de roodblauwe fauteuil
(1917) op. In zijn laatste ontwerpen is opnieuw het geometrische formalisme te vinden (stoel *Steltman*, 1963).

Houten stoel. Architects.

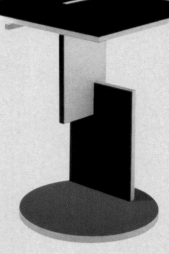

Gelakte tafel. Architects.

Roodblauwe fauteuil. Architects.

Herbert Ludwikowski

Herbert Ludwikowski definieert zijn meubelen in
minimale lijnen als een natuurlijke reactie op de
nieuwe technologieën. Zijn voorwerpen zijn gebaseerd op het principe "less is more" van de Duitse
architect Mies van der Rohe. Ze zijn gecreëerd op
basis van het vertrouwen in pure lijnen en vormen
waarmee het meubelstuk in elke omgeving past.
Vele van zijn creaties zijn gebouwd op puntvormige
en draaibare houders, met metalen buizen en staan
los van tegen de muur.

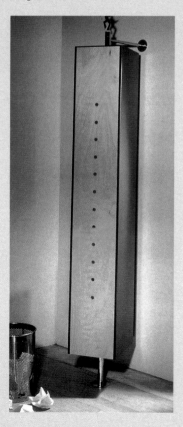

Kast *Calipso.* 1994

Kast *Calipso.* 1994.

Tutto, 1989.

Tutto. 1989.

Laser, 1989.   *Taifun*. 1986.

Klaus Wettergren

Denemarken, 1943. Deense ontwerper, beïnvloed door de stijl van de jaren '30 tot '45, waarin het gebruik van natuurlijke houtsoorten, zoals kersenhout of olm, overheerste. Het was een bewuste toenadering tot de ambachtelijke technieken en het gebruik van enkele elegante, sobere en bijna hoogdravende vormen met afwisselend rechte en kromme lijnen.

Meditation.

Lobby Chair.

President.

Poul Bjerregaard

Jebjerb, 1945, Denemarken. Voor deze ontwerper
is het design van meubelen een bezigheid die van
grote waarde is in de wereld van de architectuur.
Zijn werken zoeken de bevrediging van een doel
en willen een suggestief, visueel effect oproepen.
Een sculpturaal uiterlijk, ergonomie en een groot
comfort kenmerken de werken van deze Deense
ontwerper.

Uitschuiftafel. 1990.

Stoel *Freja*. 1990.

Sunbed. 1990.

Holst Soren

1947, Denemarken. Een van de kenmerkendste vertegenwoordigers van het Deense ontwerp die zich in de huidige stijl door een overname van de rationalistische thema's die in de jaren vijftig en zestig heersten, laat zien. Functionaliteit, compositionele strakheid en beperkte productie zijn de essentiële sleutelwoorden die zijn lange loopbaan omvatten.

Stoel *S.H.* 1991.

Bankstel *S.H.* 1991.

Eettafel *35° 16'.* 1990.

André Ricard

Barcelona, 1929. Industrieel ontwerper sinds 1958,
die zich tevens wijdt aan onderwijs en ontwerp-
theorie. Hij is voorzitter en oprichter van de
Vereniging van Beroepsdesigners en heeft in zijn
lange loopbaan samengewerkt met verschillende
firma's, waaronder Amat, Atonio Puig, Moulinex,
Tatay. Het werk van André Ricard heeft voornamelijk met het alledaagse te maken. Een manier om
invloed te hebben op de productiemethoden en
vanaf het begin van het proces ervoor zorgen dat
de eindproducten meer vertegenwoordigen dan
alleen industrieel winstbejag. Voorwerpen als de
Brievenbus, vervaardigd voor Tatay in 1990, de
parfumlijn *Quorum*, 1981 voor Perfumes Puig of
de Olympische fakkel, 1990, zijn enkele van de
ontwerpen die André Ricard hebben gemaakt
tot een van de belangrijkste Spaanse designers.

Parfumlijn *Quorum*. 1981.

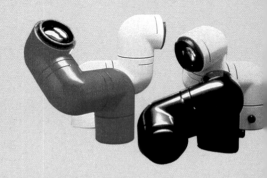

Brievenbus. 1990.

Lamp *Tatú*. 1972.

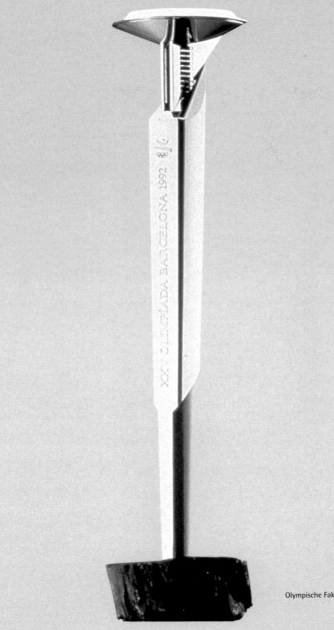

Olympische Fakkel, 1990.

André Ricard **937**

Oscar Tusquets

Barcelona, 1941. Hij raakte vertrouwd met de artistieke wereld in de Escuela de Artes y Oficios van 1955 tot 1960. Hij is mede-oprichter van B.D. Ediciones de Diseño, een firma waarvoor hij meubelen en voorwerpen ontwerpt. Vanaf 1983 werkt hij ook met Italiaanse bedrijven en toont hij zich een ontwerper die voorwerpen en meubelen in sculpturale vormen presenteert met gedurfde combinaties en praktisch inzicht.

Bib Luz Lamps. 1985/1989.

Astrolabia. 1998. Driade.

Victoria. 1996. Driade.

Potro. 1990.

Gacela. 1991.

Tapijten *Tierra* en *Luna*. BD. 1987.

Giorgio Manzali

Ferrara. 1941. Giorgio Manzali is een bijzondere vertegenwoordiger van de stroming ontwerpers die zich niet beperken tot één gebied. In deze multidisciplinaire activiteiten beweegt Giorgio Manzali zich en hercreëert hij meubelstukken die in warme kleuren zijn gebeeldhouwd, met welvingen en tegenwelvingen, altijd in harmonie met de omgeving. Zijn ontwerp verbindt zich voornamelijk met de eisen van het alledaagse.

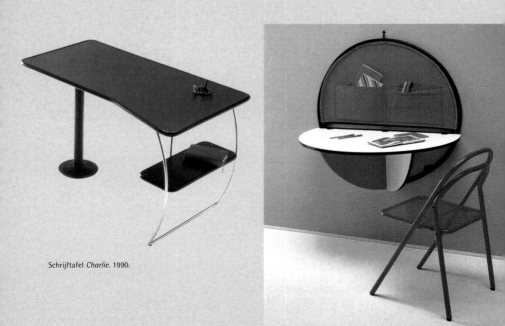

Schrijftafel *Charlie*. 1990.

Rudy. 1990.

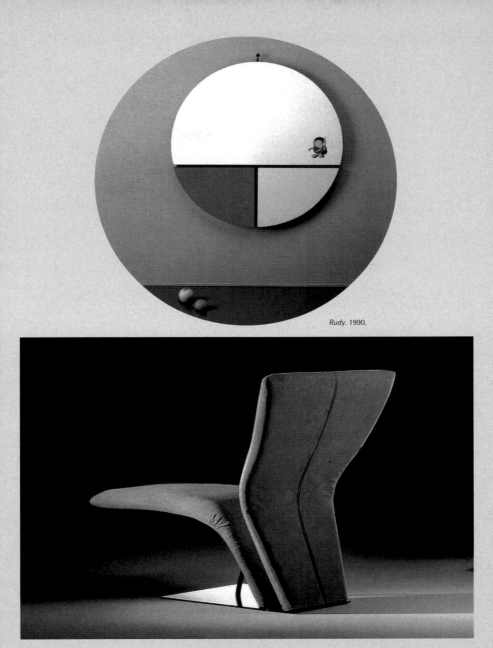

Rudy. 1990.

Gransera. 1990.

Konstantin Grcic

München, 1965. In 1990 werkt hij voor de studio van Jasper Morrison en in 1991 zet hij zijn eigen bureau op waar hij interieurverzorgings-projecten ontwikkelt en industrieel ontwerpt voor bedrijven als Arteluce en Cappellinio Moormann. Zijn ontwerpen kenmerken zich door het gebruik van zeer eenvoudige lijnen waarin een zekere invloed van de noordelijke meesters te zien is.

Steep. 1995.

KGB. 1994.

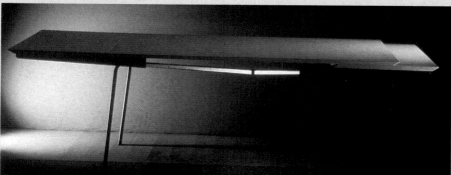

KGB. 1994.

Steep. 1995.

Kim Brun

Kopenhagen, 1950. Een van de grootste vertegenwoordigers van het jonge Deense design. Zijn lange opleiding in de meubelmakerij is hem van pas gekomen om de theorieën, die hij later in zijn creaties toepast te leren kennen. Zijn werk is voornamelijk geïnspireerd op de traditionele bronnen en de autochtone materialen en landschappen. Als basismateriaal gebruikt hij verschillende soorten hout. Hij is zeer bedreven in het herinterpreteren van het rationalisme uit het noorden.

Stoel. 1990.

Stellingkast. 1990.

Fauteuil. 1989.

Bankstel. 1990.

Pierangelo Caramia

Cisternino, 1957. Italiaanse architect woonachtig in Parijs en was enige tijd compagnon van Philippe Starck. Hij is een cosmopoliete ontwerper. Zijn werken zijn geproduceerd in landen als Japan, Frankrijk en Italië door prestigieuze firma's als Cassina, Alessi of Doublet. Zijn voorwerpen weerspiegelen de nauwe relatie tussen ambacht en industrie. Zijn ontwerpen zijn een toonbeeld van de hedendaagse cultuur, waarbij hij op elk moment het comfort probeert te verbeteren voor de gebruikers van zijn designs. Ook heeft hij verschillende interieurs ontworpen, onder andere voor het Bond Street Cafe in New York en Café Le Pigalle in Parijs.

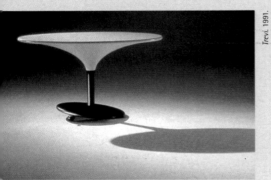

Trevi. 1991.

Penguin. 1993.

Tafel Tabula en stoel Aura. 1996.

Black Josephine. 1995.

Arild & Helge

Arild Alnes en Helge Taraldsen stichtten in 1982 de ven-
nootschap Arild & Helge. Zij wijden zich bij voorkeur aan
het ontwerp van een groot aantal meubelen bestemd voor
Noorse bedrijven die vooroplopen in het ontwerp. Onder
hun meest representatieve, opvallende werken bevinden
zich nuttige voorwerpen die makkelijk op elke plek te installeren zijn. Hun ontwerpen worden eveneens gekenmerkt
door comfort, ergonomisch concept en de zorgvuldige
selectie van materialen die makkelijk te onderscheiden
zijn dankzij de kwaliteit, weefselstructuur en zachtheid.

Rolls.

Focus 2.

Focus 1.

Josef Hoffmann

Pirnitz – Wenen, 1870-1956. Oostenrijkse ontwerper, oprichter van de Secessie van Wenen, die de stijlen uit het verleden en de detailornamenten binnen de Weense Jugendstil, dat zijn oorsprong vond in de natuur, afwees. Josef Hoffmann inspireerde zich op geometrische en abstracte vormen die de basis vormden van al zijn designs. Deze ideeën werden in de praktijk gebracht tijdens diverse Secessionistische tentoonstellingen van een serie rechtlijnige, langgerekte of kubusvormige meubelen. In veel van zijn werken, zoals de stoel *model 371* van 1906, voegt hij kleine bolvormen toe, die de rechte lijnen van het voorwerp doorbreken.

Fauteuil. Architects.

Fauteuil. Architects.

Bankstel. Architects.

Bijzettafels. Architects.

Arnold Merckx

Nederland, 1941. Het ultieme doel van de designs van Arnold Merckx is de creatie van voorwerpen die perfect integreren met de verschillende marketingstrategieën van het bedrijf waarvoor hij op dat moment werkt. Dit betekent een uitvoerige zoektocht naar de behoeften van de gebruiker. Zijn esthetische lijn is het resultaat van de combinatie van geometrische basisvormen met een zeer postmoderne uitwerking waarin eenvoud en functionaliteit overheersen.

Lady. 1991.

Lady. 1991.

Sfinx. 1989.

Sfinx. 1989.

Diabolo.

Giuseppe di Somma

Italiaanse ontwerper met een beroepsopleiding
die gefundeerd is op een studie Reclame en Neo-
architectuur. Zijn werken kenmerken zich door
een enorme, optimale beeldende lading door
kleurcombinaties en strakke, rechte lijnen. Een
van de andere esthetische kwaliteiten is de
variëteit van vormen en voorwerpen die met
een minimalistisch accent zijn ontworpen.

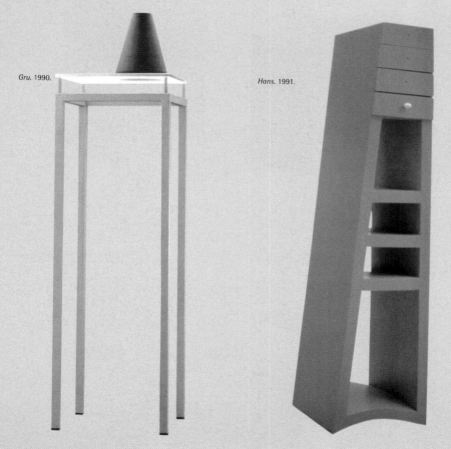

Gru. 1990.

Hans. 1991.

Step. 1990.

Trends

De levensstijl waartoe we tegenwoordig worden gedwongen, is de laatste jaren enorm veranderd, niet alleen op het esthetische maar ook op het praktische vlak. Dankzij deze nieuwe veranderingen zijn in de woning decoratieve trends of stijlen mogelijk die jaren hiervoor minder denkbaar waren. Aan het interieur wordt nu het "ecologische" aspect toegevoegd, wat reeds van toepassing was op andere vlakken van het stadsleven. Men maakt gebruik van oude uitvoeringen van ontwerpen die als "klassiek" worden beschouwd ten voordele van een nieuwe decoratie (het concept van de cyclische modes). Ook gebruikt men bepaalde meubelstukken bij wijze van kleinschalige kunst- en beeldhouwwerken, ter interpretatie van criteria en buitenlandse trends (het oriëntaalse, het exotische, het Amerikaanse...) teneinde deze aan onze cultuur aan te passen. Het gaat om het lichtspel, om de toevoeging van keramische voorwerpen als interessante elementen, om de nieuwe, opblaasbare plastic meubelen of, tot slot, om een vervolg op een ontwerp. In dit geval,

van de desbetreffende concepten van de minimalistische beweging tot het design van meubelen in eenvoudige en lineaire vormen.

Van de verschillende hoofdstukken die hierna volgen, valt het hoofdstuk dat aan het "ecologische design" is gewijd op, vanwege de bewustwording ten aanzien van het milieu. Antieke meubelen opnieuw toepassen, oude stoelen, lampen of tafels recyclen om deze in een modernere omgeving te plaatsen, of oude schrijftafels en consoles verbouwen, schaven en in de was zetten, is een tendens die zich steeds meer laat gelden in de woningdecoratie, daar het vele mogelijkheden open houdt en een milieuvriendelijke, functionele optie blijkt.

In het laatste hoofdstuk van dit rondje langs de internationale decoratie van de laatste jaren, willen we niets meer dan enkele van de trends samenvatten die vanwege hun originaliteit en exclusiviteit tegenwoordig bepalend zijn voor de manier waarop de woonruimte wordt ingericht.

Modern antiek

Set van twee theebollen met houder (1924), ontwerp van Otto Riit Veger en Josep Knau, vertegenwoordigers van de Bauhaus.

Enkele bedrijven, zoals het Italiaanse Alessi, zijn opnieuw talrijke voorwerpen en meubilair gaan produceren die een mijlpaal in de geschiedenis van het moderne design betekenden.

Set voor suikerpot en melkkannetje, inclusief blad en klontjestang. Ontwerp van Marianne Brandt en Helmut Schulze. 1928.

Olie-en-
azijnstelletje.
Ontwerp van
Christopher
Dresser. 1885.

Tostirooster. Christopher
Dresser. 1878.

Cocktailshaker.
Anoniem. 1925.

Tafelklok. Kwartsgestuurd. Ontwerp van Pio Manzú. 1966.

Theeservies met samovaar. Ontwerp van Eliel Saarinen. 1933-1934.

Rechthoekige
schaal met
gedreven rand.
Anoniem.

Koffie- en theeservies, werk
van Marianne Brandt. 1924.

Modern antiek **963**

Televisietoestel vervaardigd van stukken hardboard en lijm zonder formaldehyde.

Briefpapier van gerecycled papier.

Tafel en stoel vervaardigd van plastic materialen uit doosjes Maggi. (onder)

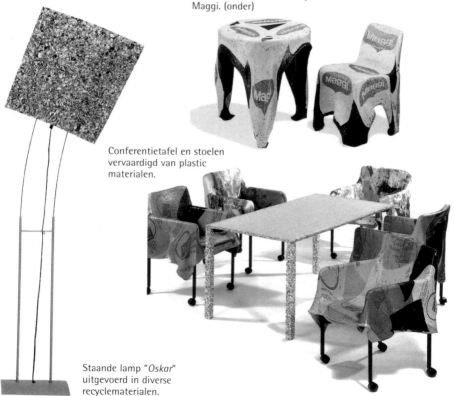

Conferentietafel en stoelen vervaardigd van plastic materialen.

Staande lamp "*Oskar*" uitgevoerd in diverse recyclematerialen.

Bijzettafeltje vervaardigd van samengeperste plastic verpakkingen.

Ecologisch ontwerp

Het moderne ontwerp kiest steeds vaker voor het rationele gebruik van biologisch afbreekbare materialen of afvalresten voor de vervaardiging van voorwerpen en meubelen. Mosselschalen, aardappelmeel of stukken hardboard kunnen een alternatief vormen voor de conventionele materialen met een milieuonvriendelijk samenstelling.

Wastafel uitgevoerd in plastic afvalmateriaal.

Lichtzuilen van plastic afvalmateriaal.

Stoelen van
gerecycled plastic.

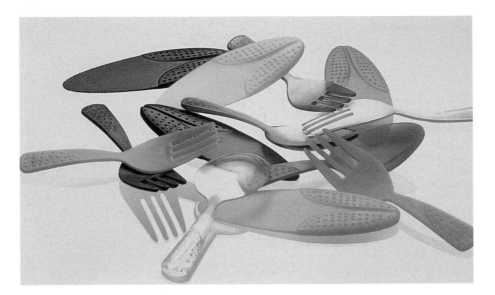

Bestek vervaardigd van
aardappelmeel.

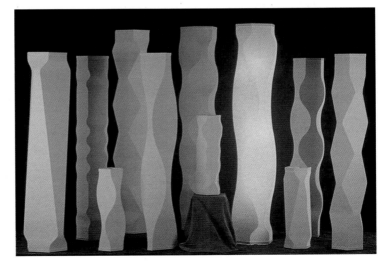

Lampen.

Sculptuurmeubelen

De huidige creatie van meubilair en accessoires richt zich niet alleen op serieproductie. In de nieuwe trends gaat men voor het ontwerp van uitzonderlijke stukken, unieke voorwerpen, half beeldhouwwerk- half meubelstuk.

Tafel. Ontwerp van
Medina Campeney. 1999.

Tafel. Ontwerp van
Enric Pladevall. 1999.

Opbergmeubel. Ontwerp van
Josep Montoya. 1999.

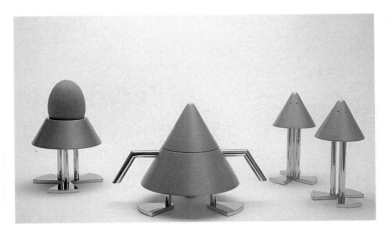

Tafelset.
Ontwerp van
Jonathan
Daifuku. 1999.

Stoelvorm. Ontwerp
van Manuel
Alvarez. 1999.

Stoel. Ontwerp van Beat
Keller. 1999.

Terug naar organische vormen

Bankstellen met gewelfde vormen, de heropleving van klassieke vormen en eenvoudige en eclectische lijnen, zijn enkele van de karakteristieken die de nieuwe organische stroming binnen het meubelontwerp kenmerken. Monique en Sergio Savarese van Dialógica herscheppen de oorspronkelijke vormen door actuele kleuren toe te voegen zoals bruin, chocoladebruin, oker en aubergine, en materialen te gebruiken als esdoornhout, staalplaat en getint leer.

Groentebak. 1999.

Bankstel. 1999.

Cabinet *Tyles*. 1999.

Console. 1999.

Bijzettafel. 1999.

Bankstel. 1999.

Coordinate Design

Het Coordinate Design heeft als doel de ruimte te verenigen met de voorwerpen, accessoires en het meubilair door deze te koppelen door de successievelijke herhaling van één stijl. In samenwerking met Dornbracht, Duravit en Hoesch heeft Michael Graves op basis hiervan "Dreamscape" gecreëerd, een integraal interieur van de badkamer inclusief mengkranen, sanitair, badkamermeubelen, accessoires, etc.

Losstaande badkuip,
Hoesch.

Dreamscape. 1999.

Wandsanitair, Duravit.

Wastafel met
gedeeltelijk gekoppelde
zuil, Duravit.

Kast op halve
schofthoogte,
Duravit.

Wastafel met
meubel, Duravit.

Mengkraan, Dornbracht.

Mengkraan, Dornbracht.

Wandmengkraan, Dornbracht.

Wandlamp,
Duravit.

Zeeppompje,
Duravit/Dorn-
bracht.

Zeepbakje,
Duravit/Dornbracht.

Oriëntaalse opleving

Het westerse ontwerp ondervindt tegenwoordig Oriëntaalse invloeden die vorm krijgen in talrijke meubelen en voorwerpen. De collectie Mamo Nouchies is een multiculturele creatie van lampen ontworpen door Ingo Maurer, Mombach en Noguchi, en geïnspireerd op de Japanse "akari"-traditie.

Poul Poul. 1999.

Samurai. 1999.

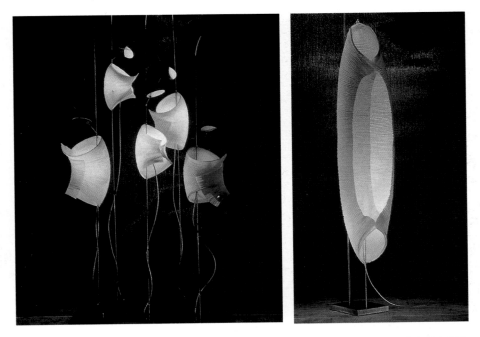

Mahbruky. 1999.

Babadul. 1999.

Alodri. 1999.

Gaku. 1999.

De terugkeer van smeedwerk

Josep Cerdá creëert meubelen, voorwerpen en accessoires door metalen als bijvoorbeeld ijzer te modelleren
en vervolgens te decoreren en te verven; een stroming
die zich laat gelden in de wereld van het interieur en
die het smeedwerk uit de Middeleeuwen doet herleven.

Detail van de
console.

Console.

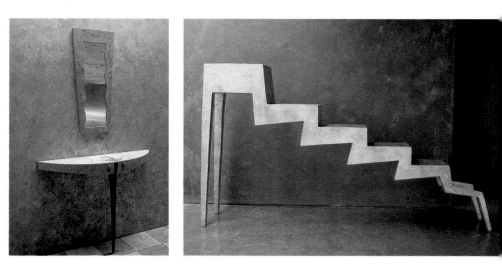

Tafel voor ontvangsthal,
met bijpassende spiegel.

Wadi-Musa.

Handvat.

Handvat.

In functionele, moderne ruimten is het noodzakelijk metalen constructies te plaatsen om een moderne ambiance te creëren.

Het aluminium profielwerk en de structuur van het meubilair vallen op in een kamer die door een groot raam verlicht wordt.

Weerkaatsingen van metaal

Metalen ontwerpen overheersen in het huidige interieur.
Roestvrij staal, aluminium,
ijzer etc. in combinatie met
andere materialen zoals hout,
geven een avant-gardistisch,
modern tintje aan elke
kamer in het huis.

Fauteuil met frame in
geanodiseerd
aluminium. Model
Volare 986 van Jan
Armgardt voor Leolux.

Metalen stellingkast in High
Tech, roestvrij staal.

Middentafel in roestvrij staal,
glas en hout. Model *Volare
558*, ontwerp van Jan
Armgardt voor Leolux.

Rechte lijnen en eenvoudige vormen

De moderne badkamers neigen steeds meer naar een vereenvoudiging van lijnen en benaderen een zekere Japanse smaak. Robuuste materialen zoals speciaal tegen vochtigheid behandelde houtsoorten, en het overheersend gebruik van roestvrij staal zullen voor de komende jaren de lijn bepalen.

Badkamer *Alukit*, ontwerp van Marc Sander. Boffi.

Wastafel, ontwerp van Piero Lissoni. Boffi.

Minimal, ontwerp
van Giulio
Gianturco. Boffi.

Badkamer *Punto*,
ontwerp van
Luigi Massoni.
Boffi.

Lichtschitteringen

Het Middeleeuwse gebruik van kerkramen neemt weer een belangrijke positie in de huidige decoratie in, met ontwerpen die aan het modernisme en de art nouveau doen denken. Internationaal bekende groepen van ambachtelijke meesters, zoals de Artistas Vidrieros de Irún met José Luis Alonso aan het hoofd, vervaardigen kerkramen in verschillende stijlen zoals de renaissancistische stijl, de gotische stijl of de art-deco-stijl, in verschillende afwerkingen zoals glas-in-lood of gebrandschilderde ramen. Daarbij volgen ze de huidige trend om kerkramen als nieuw, decoratief element in interieurs toe te passen.

Gebrandschilderd raam.
Artistas Vidrieros de Irún.

Gewelf. Het geprojecteerde licht
geeft een veelkleurig effect.
Artistas Vidrieros de Irún.

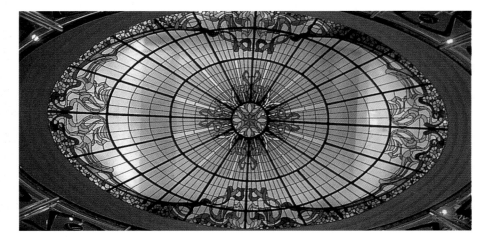

Renaissancistisch kerkraam. Glas-in-lood-raam gedecoreerd met een spel van rombussen. Artistas Vidrieros de Irún.

Gebrandschilderd kamerscherm met glas-in-loodwerk, ter afschei-ding van ruimten. Artistas Vidrieros de Irún.

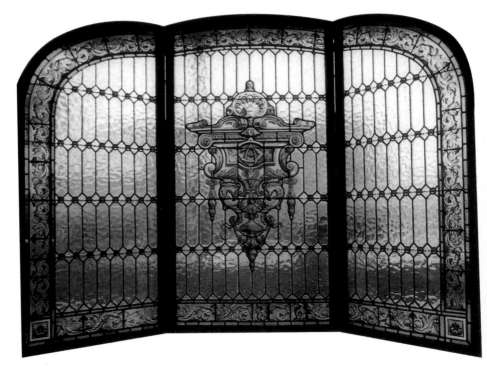

Wandtegels

De antieke Portugese wandtegels zijn een veelgebruikt onderdeel van het interieur en een toenemende tendens in de huidige rurale decoraties.

Mythologische maaltijd.

Oorlogsmotieven.

Retabel.

Figuur van Convite.

Bloemenvaas.

Kunst op tafel

Bij het dekken van een tafel overheerst de klassieke harmonie en
de avant-gardistische stijl met
bepaalde persoonlijke accenten.

Lunchservies.

Ontwerp van
Paloma Picasso
voor Villeroy &
Boch.

Serviesgoed van Christofle.
(rechts)

Koffieservies
van Christofle.
(links)

Tafelservies in China-
porselein van Villeroy &
Boch en Gallo.

Serviesgoed,
glaswerk en bestek
van Villeroy & Boch.

Au coeur de la Foret van
Sia. Ontwerp 1999-2000.

Equilibre van Sia. Ontwerp 1999-2000.

Millennium van Sia. Ontwerp 1999-2000.

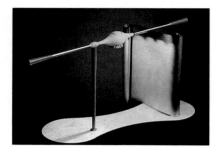

Lamp *H-Arp.*

Omvormen

Ze lijken meubelen en voorwerpen die bedoeld zijn voor een specifieke functie, maar ze kunnen uit elkaar gehaald worden en in originele, handige voorwerpen veranderen. De Britse ontwerper Daniel Weil weet zijn werken aan een nieuwe en verrassende, functionele en creatieve eis te laten voldoen.

Fruitschaal *Claire.*

Haltafeltje
Rein.

Tafeltje met bloemenvaas.

Haltafeltje
Rein.

Opbergtafel.

Integraal ontwerp

Bij het inrichten van een ruimte kiest men steeds vaker voor een integrale decoratie en voor het gecoördineerde kleurengamma van meubelen en voorwerpen. Hieruit ontstaan collecties met een eigen persoonlijkheid. Josep Montoya legt dat concept van eenheid in zijn meubelen dat zo bepalend is in de huidige stijl.

Middentafel.

Nachttafeltje.

Barmeubel met diep granieten blad.

Chiffonière in esdoorn
en mahonie.

Wandmeubel.

Detail.

Bankstel. Ikea.

Matras met
hoes. Ikea.

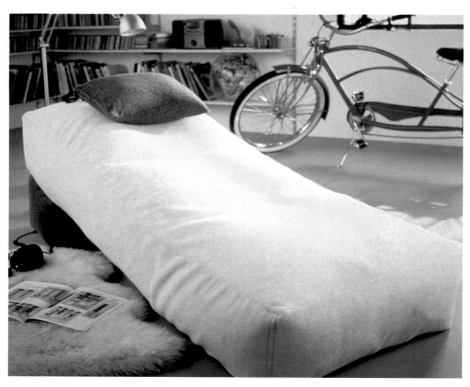

Opblaasbaar meubelair

Opblaasbare meubelen vormen een trend in opmars in de moderne decoratie. Ze wegen niets, zijn makkelijk te onderhouden en passen zich perfect aan elke functionele, ongedwongen ruimte aan.

Stoel-poef. Ikea.

Bankstel met hoes. Ikea.

Opblaasbare poef en bankstel met spijkerstofbekleding. Ikea.